図解でわかる

# 14歳から知る 気候変動

JN100760

インフォビジュアル研究所・著

# 目次

## 図解でわかる 14歳から知る 気候変動

**はじめに**
人類が引き起こした
地球最大の危機、気候変動 ……… 4

# 人類が引き起こした
# 地球最大の危機、気候変動

## いますぐ対策をとらないと手遅れになる
## 未来を守るために子どもたちも立ち上がった

　2018年、スウェーデンのひとりの少女が起こした行動が、全世界に波紋を投げかけました。当時15歳だったグレタ・トゥーンベリさんが、「気候のための学校ストライキ」と書かれたプラカードを掲げ、スウェーデンの国会議事堂の前で座りこみを始めたのです。

　気候の変化が、人類史上最大の危機をもたらそうとしているのに、大人たちは何もしようとしない。私たちの未来を、もう大人たちに任せておけない──。

　そんな想いから、毎週金曜日に学校を休んで、気候変動への対策を訴えるグレタさんの呼びかけに、世界中の子どもたち、若者たちが共鳴。ソーシャルメディアを通じて、「未来のための金曜日」というスローガンのもとに集い、各地でストライキを始めます。賛同者はしだいに膨れ上がり、2019年9月20日、全世界で一斉に行われたグローバル気候マーチは、161カ国約400万人を集め、史上最大の気候ストライキとなりました。

　グレタさんが、たったひとりで始めた活動は、世界中の人々の心を動かし、どこか遠くの問題だと思っていた気候変動について、みんなが真剣に考えるきっかけをつくったのです。

　46億年前に誕生した地球は、ゆっくりとした変動を繰り返しながら、気候のバランスを保ち続けてきました。そのバランスが崩れ出したのは、イギリスで産業革命が始まった18世紀後半頃からです。人間は、何億年も前の地層に閉じこめられていた石炭や石油を掘り出し、燃料として大量に燃やすようになりま

した。それが、地球の気候を変えてしまうほど、深刻な事態を招くとは、誰ひとり考えていなかったのです。

　地球が温かくなっていることに、人々が気づき始めたのは、1970年代後半から1980年代にかけてのこと。「地球温暖化」と呼ばれるこの現象の原因は、人間の産業活動によって、二酸化炭素（CO₂）などの温室効果ガスが増えたことにある、とわかってきたのは、1990年代のことでした。

　このままCO₂が増え続ければ、地球はどんどん温かくなり、やがて北極や南極の氷は溶け、日照りで作物はとれなくなり、動物たちも生きられなくなる。そんな悲観的な予測がたてられたにもかかわらず、それから約30年たったいまも、発電所や自動車などからCO₂が大量に吐き出されています。

　グレタさんをはじめ、世界中の子どもたち、若者たちが怒りの声を上げたのは、まさにこのためでした。このまま何も対策をとらなければ、じわじわと温暖化が進み、気づいたときには、手のほどこしようがなくなっている。そんな未来を生きなければならないのは、いまの若い世代なのです。

　気候変動は、国連の「持続可能な開発目標（SDGs）」のひとつに掲げられているほど、大きな問題です。大きすぎて複雑なこの問題を、本書では図解を用いてわかりやすく解説しています。そもそも気候とはどんなものなのか？　それがいま、どう変わりつつあるのか？　そして、気候変動に対して人類にできることは何なのか？　それをこれから皆さんと一緒に見ていきましょう。

# Part 1
# 気候システムの変動が起こす12のこと

# いま進行する地球の気候変動は私たち人間の問題

## 気候変動の何が問題なのか？

いま、地球の気候変動が、大きな問題になっています。「気候」とは、長い期間で

## 1 世界の気温が上昇 ▶ 詳しくは p34〜35
### 温室効果ガスが増えて地球温暖化が進む

気候変動を象徴する異変のひとつは、気温の上昇です。IPCC（気候変動に関する政府間パネル）第5次評価報告書によると、世界の平均気温は、1880年から2012年の間に0.85℃上昇しています。地球が、だんだん暖かくなっているのです。これが「地球温暖化」と呼ばれる現象です。

地球温暖化の原因として考えられているのは、二酸化炭素（$CO_2$）などの温室効果ガス（詳しくは p16〜17）が増えていることです。$CO_2$ は、石炭・石油などを燃やすことによって、大量に空気中に排出されます。温暖化が進むと、気候システム全体に変化が生じ、自然環境や人々の暮らしに深刻な影響を及ぼすといわれています。

温暖化は私たち全員にとって脅威です

見た、ある地域の平均的な大気の状態をさします。大気の状態は、海洋、陸面、雪氷（せっぴょう）などと深く関わり合って変化するため、これらをひとつのシステムととらえて、「気候システム」と呼んでいます。

地球の長い歴史を見ると、気候は一定ではなく、寒い時期と暖かい時期が、約10万年もの長い周期（しゅうき）で繰り返されてきました。これは、何らかの自然の力が加わって、気候システムがゆっくりと変化してきた結果です。しかし、いま問題になっている気候変動は、自然な変化ではなく、人間によって引き起こされたものだと考えられています。人間の活動が、気候システムを短期間で変えてしまったのです。

この気候変動によって引き起こされる現象は、多岐（たき）にわたりますが、ここでは12のポイントにしぼって見ていきましょう。それぞれについての詳しい解説は、Part 3の対応するページを参照してください。

# 2 異常気象が日常化する ||||||||||||||▶

## まれにしか起こらなかった気象現象が頻繁に起こる

詳しくは
**p36 〜 37**

30年に1度くらいしか発生しない、まれな気象現象のことを「異常気象」（いじょうきしょう）といいます。例えば、2018年の夏、日本の東日本・西日本は、記録的猛暑（もうしょ）に見舞（みま）われ、多くの地域で観測史上最高気温を更新（こうしん）しました。また、その翌年の2019年冬、例年なら雪が多い日本海側では暖冬（だんとう）が続き、降雪（こうせつ）量が記録的に減っています。

こうした異常気象が、日本だけではなく、世界各地で起こっています。それも、「まれに」ではなく、たびたび起こっています。異常気象がもはや「異常」ではなく、日常化しつつあるのです。これも、地球の気候システムが、これまでとは違う動きをしているためだと考えられています。

# 3 感染症リスクが高まる ┈┈┈┈┈▶

詳しくは
p58〜59

## 地球温暖化の影響で
## 世界の感染症地域が変化する

　新型コロナウイルスの世界的流行によって、私たちは感染症の恐ろしさを改めて知ることになりました。感染症のなかには、マラリアやデング熱のように、熱帯に生息する蚊が、病原体を運んで感染させるもの

があります。気候変動によって地球温暖化が進むと、熱帯性の蚊が棲める地域が広がり、感染者が増えるのではないかと予想されています。現在の日本は、マラリアやデング熱の感染地域ではありませんが、近い将来、そうならないとは限らないのです。

# 4 熱波が都市を襲う ┉┉┉┉┉▶

詳しくは
p38〜39

## 体温を超える高温が続き
## 都市環境が被害を拡大する

　2003年にヨーロッパを襲った熱波は、記録的な高温をもたらし、熱中症や熱射病などによって、推計約7万人もの命が奪われました。ヨーロッパは、その後もたびたび熱波に襲われています。アメリカ、イン

ド、パキスタン、オーストラリアなどでも、同様の被害が相次いでいます。

　多発する熱波も、気候変動によるものです。さらに、都市化によって人工建造物や舗装道路が増えたことが、気温をいっそう高め、被害を拡大させています。

# 食料生産地が北に移動する

詳しくは
p52〜53

### 気候が変わると産地が変わり世界の農業に影響が及ぶ

気候変動の影響を真っ先に受ける産業は、農業です。農作物の種類によって、栽培に適した気候は異なるため、気候変動によって世界の気温が上昇すると、農作物の生産分布図が変わると予想されています。

特に問題なのは、主食となる穀物です。温暖化が進むと、これまで穀物がとれなかった地域で生産が盛んになる反面、これまでの生産地が不作になる恐れがあります。生産地が、より緯度の高いほうへ（北半球では北へ）とずれていくのです。

# 世界各地で水が不足する

詳しくは
p48〜49

### 気温上昇による干ばつや人間の活動が水不足の原因に

地球上には、もともと雨がたくさん降る地域と、あまり降らない地域があります。気候変動によって気温が上がると、雨の少ない乾燥地帯は、ますます乾燥し、深刻な水不足に陥ってしまいます。すでにアフリ

カでは、干ばつが何年も続き、飲み水や農業用水が足りなくなっています。

さらに、人口の増加、工業化による水質汚染、地下水のくみ上げなど、人間に起因するさまざまな問題が、水不足をいっそう加速化させています。

# 7 氷が溶けて海面が上昇する ┈┈▶ 詳しくは p54〜55

## 氷床や氷河が海に溶け出し 海岸沿いの都市が水没する

地球温暖化の影響を最も受けやすいのは、地球上にある氷です。気温が上昇すると、南極やグリーンランドの氷床、高地にある氷河などが溶け、海に流れ出してしまいます。また、気温上昇によって海水は膨張します。その結果、起こるのが海面上昇です。

海面が上昇すると、海抜の低い地域に海水が流れこんでしまいます。もし海面が1m上昇すると、日本全国の砂浜の9割以上が失われ、東京や大阪の海沿いの地域は、水没してしまうと予想されています。

# 8 世界各地で水害が増える ┈┈▶ 詳しくは p46〜47

## 地球上の水の循環が変わり 台風や洪水による被害が増大

近年、日本では豪雨や大型台風による被害が増えています。同様に、アメリカでは大型ハリケーン、ヨーロッパや中国では豪雨による大洪水が発生するなど、世界各地で水害が多発しています。

その原因は、地球温暖化によって、海水の温度が上がり、水蒸気が増えたためだと考えられています。また、森林伐採やダムの建設、都市のアスファルト化などによって、水が自然に循環しなくなったことも、被害を拡大させる一因となっています。

# 9 生態系が破壊される 詳しくは p56〜57

### 気候の変化に適応できずに
### 多くの生物種が絶滅の危機に

**コアラ**
打ち続く干ばつによる森林火災のため、多くのコアラが傷つき、棲む森を失っている。いっそうの保護活動が必要

**ジャイアントパンダ**
現在の推定個体数は 2,000 頭弱。気候変動は生息地の特殊な竹林の消滅を招き、その竹を食料とするパンダの絶滅が危惧されている

**ホッキョクグマ**
21世紀中頃には、ホッキョクグマの生存に不可欠な夏の海氷の42%が消失し、個体数が激減すると予測されている

**アオウミガメ**
温暖化による気温の変化は、アオウミガメの生殖バランスを狂わせ、繁殖が困難に

**スマトラオランウータン**
温暖化による雨量の増加が、ジャングルの果実の生育悪化を招き、生存に深刻な影響が予想される

**ユキヒョウ**
密猟などで個体数が減少。温暖化は高山の環境を悪化させ、減少をさらに加速させている

**アフリカゾウ**
象牙をとるための密猟が個体数を減少させ、温暖化による広葉樹林の乾燥が生息域を縮めている

気候変動（きこうへんどう）は、地球上のあらゆる生物に大きな影響を与えます。動物や植物は、生息地の環境に適応するよう、長い時間をかけて進化してきました。しかし、気温が上昇すると、暑さに弱い生き物は、北へ移動しなければならなくなります。生物の分布が、これまでとは変わってしまうのです。

現在すでに多くの生物が、人間による乱獲（らんかく）や自然破壊などによって、絶滅（ぜつめつ）の危機に瀕（ひん）していますが、気候変動の影響を受けると、絶滅するリスクはますます高くなると予測されています。

# 気候が生み出す新たな南北問題

## 温暖化の恩恵を受ける国と損失を受ける国が生まれる

詳しくは p62〜63

　世界には、経済的に豊かな国と貧しい国があり、地図で見ると豊かな国は北に、貧しい国は南に集中しています。そのため、両者の経済格差は「南北問題」と呼ばれますが、気候変動によって新たな南北問題が生まれる、といわれています。

　例えば、北方に位置する国では、温暖化によって農作物が豊富にとれるようになります。一方、南方の国では、水不足や食料不足が深刻化します。このように、温暖化は、その恩恵を受ける国と損失を受ける国とを生み出す可能性があるのです。

# 11 「気候難民」が生まれる ⏐⏐⏐⏐⏐⏐⏐▶

詳しくは p64〜65

### 異常気象や自然災害で 住みかを失う人が激増

気候変動の影響によって、近年、自然災害が多発し、住む場所を失う人が増えています。台風やモンスーン、森林火災、干ばつ、洪水など、異常気象が原因で、避難や移住を余儀なくされる人は、今後ますます増え

ていくとみられています。

特に、温暖化の影響を受けやすい乾燥地帯には、もともと貧困や紛争などの問題を抱えた途上国が多く、膨大な数の「気候難民」が生まれる恐れがあり、難民受け入れ態勢の整備が求められています。

# 12 世界経済が崩壊する ⏐⏐⏐⏐⏐⏐⏐⏐⏐▶

詳しくは p68〜69

### 気候変動はさまざまな形で 経済に損失を与える

気候変動は、人々の暮らしや経済にも影響を及ぼします。気温が上がると、暑さのため生産性が落ちてしまいます。干ばつや洪水の発生は、農業に打撃を与え、食料不足を招きます。また、大きな災害が起こる

と、復旧のために莫大な費用がかかります。

このように、気候変動は、世界経済を直撃し、2030年までに全世界で250兆円もの損失が生じるとの試算もあります。さらに、気候変動によって地域格差がますます広がることも懸念されています。

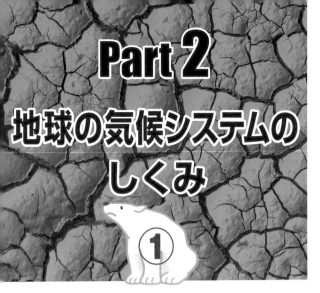

# Part 2
## 地球の気候システムの しくみ
①

# 地球の気候は 絶妙なシステムによって 保たれている

### 気候を生み出す気候システム

気候変動を理解するために、Part2では、気候がどのようにして生み出されるのかを

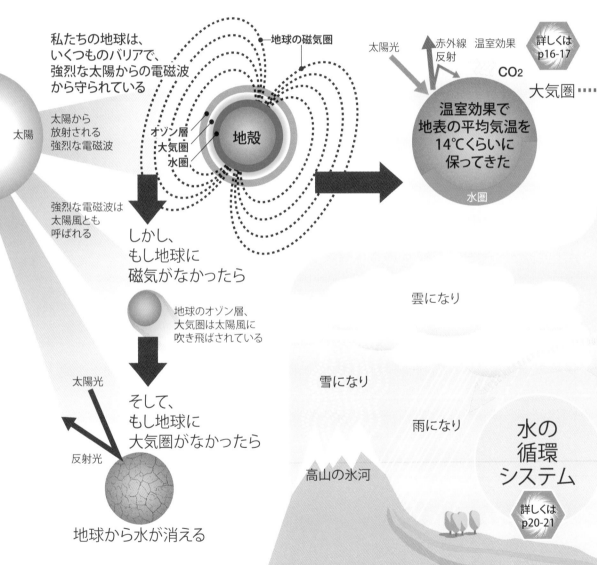

私たちの地球は、いくつものバリアで、強烈な太陽からの電磁波から守られている

地球の磁気圏

太陽から放射される強烈な電磁波

太陽

オゾン層
大気圏
水圏

地殻

強烈な電磁波は太陽風とも呼ばれる

しかし、もし地球に磁気がなかったら

地球のオゾン層、大気圏は太陽風に吹き飛ばされている

そして、もし地球に大気圏がなかったら

太陽光

反射光

地球から水が消える

地球は表面温度 −19℃の、カラカラの 岩石の惑星になる

太陽光

赤外線
反射

温室効果

CO₂

温室効果で地表の平均気温を14℃くらいに保ってきた

水圏

詳しくは p16-17

大気圏

雲になり

雪になり

雨になり

高山の氷河

水の循環システム

詳しくは p20-21

私たちの地球は、水の循環と大気中の二酸化炭素の温室効果によって生物が生存できる絶妙なバランスが保たれて

見ていきましょう。気候によく似た言葉に「気象」がありますが、気象は、日々の天気を指します。それに対し、気候は、気象を積み重ねて平均値をとったもの。長い期間（概ね30年間）における、ある地域の平均的な大気の状態、ともいえるでしょう。

　地球の大気の状態は、さまざまなシステムが、相互作用することによって決まります。下のイラストに示したように、大気の循環システムのほかに、海の中で働く海水の循環システム、大気と海と陸にまたがる水の循環システム、生物圏と自然界をつなぐ炭素の循環システムなどがあり、互いに複雑に関わり合っています。気候を生み出すこれらのシステム全体を、「気候システム」といいます。生物にとって有害な紫外線を吸収してくれるオゾン、大気中に浮遊するエアロゾル（さまざまな粒子性物質）なども、気候システムに影響を与える重要な要素です。

# 地球の気候をコントロールして生命を育む「地球システム」

大気の
循環
システム
詳しくは
p18

温かい大気は
冷たい地域へと
流れていく

オゾン層

冷たい大気は
下降する

冷たい大気は
温かい地域へと
流れていく

炭素の
循環
システム
詳しくは
p22-23

温かい大気は
上昇する

$CO_2$

海水の
循環
システム
詳しくは
p19

二酸化炭素の
一部は海に
吸収されている

て
戻る

温かい海流

$CO_2$

冷たい海流

# 温室効果ガスによって
# 地球が温まるしくみ

## 地球に熱を伝える電磁波

地球の気候システムを動かしているのは、太陽のエネルギーです。太陽の表面温度は、約6000℃もありますが、熱がそのまま地球に伝わるわけではありません。熱をもった物質は、エネルギーとして電磁波を出します。その電磁波が別の物質に当たると、振動によって熱を発生させるのです。太陽の熱は、可視光線、紫外線などの電磁波として放射され、約1億5000万km離れた地球に届きます。すると地球が温かくなりますが、熱をもった地表からも、電磁波の一種である赤外線が出ていきます。

地球の暖かさの素は
表面温度6000℃の
太陽からの電磁波
=太陽光線=可視光線

あらゆる物体は、物体のもつ
温度に従って電磁波を出す。
赤外線もそのひとつ

赤外線は
サーモグラフ
で測定されている

私たちの体からも
赤外線が出ている

電磁波が
地球表面の
物質の素粒子を
揺らして、
熱が発生する

**赤外線**
波長の長い電磁波

### 代表的な温室効果ガス

$CO_2$  O  C  O
**二酸化炭素**

地表からの赤外線が
二酸化炭素の分子を
振動させる

熱が発生する

赤外線

赤外線が
放射される

**赤外線の
再放射**

**地表を温める**

温まった地表から
赤外線が放射される

## 地表が平均約14℃に温まる

つまり、太陽からの電磁波は、ほとんどが宇宙に反射されてしまうことになり、この場合、地球の気温は –19℃くらいにしかならないと推測されています。

しかし、現実には、地表の平均気温は約14℃です。この33℃の違いを生み出しているのが、「温室効果」と呼ばれるものです。

## 地球の気温を保つ温室効果ガス

地球の大気の中には、水蒸気や二酸化炭素（$CO_2$）、メタン、フロンなどが含まれています。これらの「温室効果ガス」が、地表から出ていく赤外線を吸収し、再び地表に戻しています。そのため、ちょうど地表にすっぽり毛布をかけたように、地表が温められ、生物が暮らしやすい14℃程度の気温に保たれているのです。

しかし、18世紀後半に産業革命が起こり、人間が石炭や石油を燃やすようになってから、大気中の$CO_2$の量が急速に増え、温室効果が強まるようになってきました。これが気候変動の大きな原因といわれています。

# 地球の大気と温室効果のしくみ

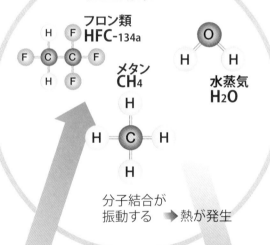

**二酸化炭素以外の温室効果ガス**

フロン類
**HFC**-134a

メタン
**CH₄**

水蒸気
**H₂O**

分子結合が振動する ➡ 熱が発生

赤外線の再放射

また地表から
赤外線が照射される

地表が温められる

この温室効果ガス濃度が上昇して地球が温まりすぎているのが**地球温暖化**の主な原因と考えられている

詳しくは
p32-33

こうして地球は
温まっていく

# 地球の気候システムは
# 巨大な熱の分配装置

## 大気の循環で太陽熱を分配

地球の気候システムは、太陽から受け取った熱をエネルギーとして動いていますが、地球は球体なので、太陽がほぼ直角に当たる赤道に近いほど、熱エネルギーが大きくなって気温が高くなります。反対に、太陽が斜めに当たる極地（北極・南極）に近いほど、気温が低くなります。

この温度差を調整しようとして働くのが、大気の循環システムです。地球の大気は、気温の高いほうから低いほうへと、熱を移動させます。ただし、地球は自転しているため、その動きは複雑です。赤道付近の熱い

## 大気は熱を地球全体に平均して配分しようとする

極
冷たい大気

地球全体の
大まかな循環

温かい大気 —— 赤道 —— 温かい大気

冷たい大気
極

地表面での循環

冷たい大気

温かい大気

### 貿易風の方向が曲がっているのはコリオリのせい

地球は
回転している

A地点から
B地点に向かって
風が吹いても

B地点は
回転方向
に移動する

そのため
風が曲がった
ように見える

## その結果駆動するのが大気の循環システム

**極偏東風**
冷たい風が中緯度に流れ、
温められて極にもどる

**偏西風**
中緯度に流れる風の一部が、
コリオリの力で偏西風になる

地球温暖化で、この大気の循環が変化し、気候変動が生じていると考えられている

北回帰線

北東貿易風

②
③
①

赤道

熱帯収束帯

南東貿易風

南回帰線

偏西風

**貿易風のできるしくみ**
❶赤道付近で温められて上昇
❷冷たい中緯度に流れ、冷やされて下降する
❸温かい赤道付近に戻るときの風が貿易風

# この現象をコリオリという

空気は、上昇して南北に分かれて進み、中緯度まで熱を運ぶと、下降して赤道付近に戻ります。この、赤道に戻ろうとする気流が、貿易風です。中緯度に運ばれた熱は、偏西風によって高緯度へ向かいます。極地の冷たい空気も循環して高緯度から熱を受け取ります。こうした循環によって、大気中の熱エネルギーが分配されているのです。

## 1000年規模の海洋大循環

　大気だけでなく、海洋の水も循環します。

海水の流れには、風によって起こるものと、水温や塩分濃度の違いによって起こるものがあります。後者は、北極や南極付近の冷たい海の水が、重くなって深層まで沈みこみ、移動するうちに表層に戻るというもので、1000〜2000年かけて、世界の海を一巡します。この海洋大循環によって、冷たい海水と温かい海水の温度差が和らげられています。しかし、地球温暖化によって、冷たく重い水が減り、循環が弱まる可能性が高いと指摘されています。

# 海水の循環システム
海水も低緯度から高緯度へ、地球の熱を運ぶ働きをしている

地球温暖化で、この海水の循環も変化し、気候変動を起こしていると考えられている

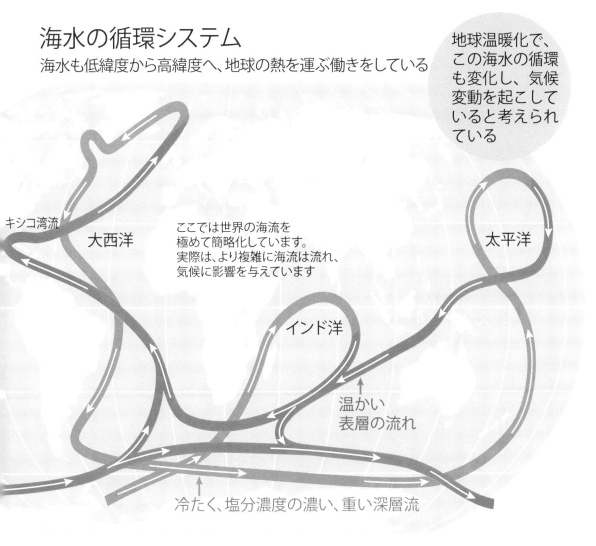

キシコ湾流

大西洋

太平洋

ここでは世界の海流を極めて簡略化しています。実際は、より複雑に海流は流れ、気候に影響を与えています

インド洋

温かい表層の流れ

冷たく、塩分濃度の濃い、重い深層流

# 海洋の浅い場所の温かい海水と、深い場所の冷たい海水が、約2000年かけて循環している

# 海と空と陸を行き来する
# 水の循環システム

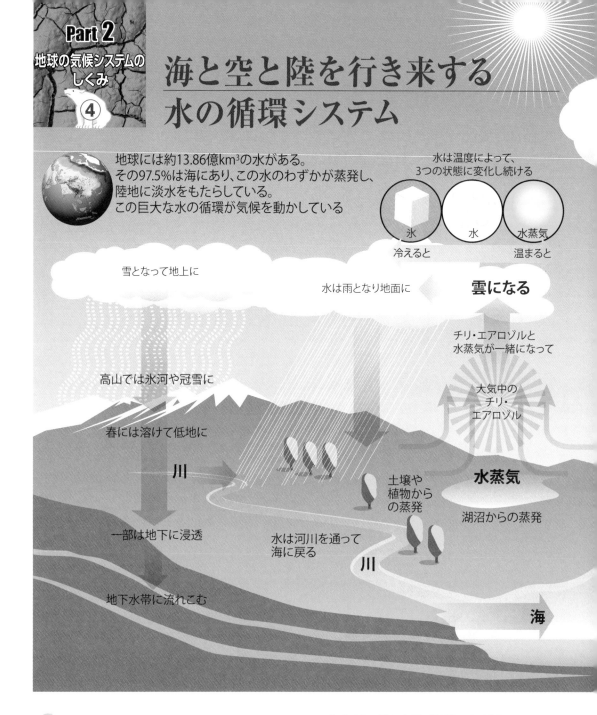

地球には約13.86億km³の水がある。
その97.5%は海にあり、この水のわずかが蒸発し、
陸地に淡水をもたらしている。
この巨大な水の循環が気候を動かしている

水は温度によって、
3つの状態に変化し続ける

氷　　水　　水蒸気
冷えると　　温まると

雪となって地上に

水は雨となり地面に

雲になる

チリ・エアロゾルと
水蒸気が一緒になって

大気中の
チリ・
エアロゾル

高山では氷河や冠雪に

春には溶けて低地に

川

土壌や
植物から
の蒸発

水蒸気

湖沼からの蒸発

一部は地下に浸透

水は河川を通って
海に戻る

川

地下水帯に流れこむ

海

## 自然界を移動する水

　海の水は、海中で循環するだけではありません。海と空と陸とにまたがる、もうひとつの大きな水の循環システムがあります。

　地球上には、約14億km²もの水がありますが、そのうち約97.5%は海にあり、残りは川や湖、氷床や氷河、地下などに存在しています。水全体の量は、ほぼ一定していますが、常に同じ場所にとどまっているわけではありません。水は液体としてだけでなく、固体（氷）、気体（水蒸気）に形を変えて、地球上を動いています。

## 水滴が集まって雲が発生

　海や川などの水は、温められて蒸発し、水蒸気となって上昇します。この水蒸気が、上空で冷やされると、雲をつくって雨や雪

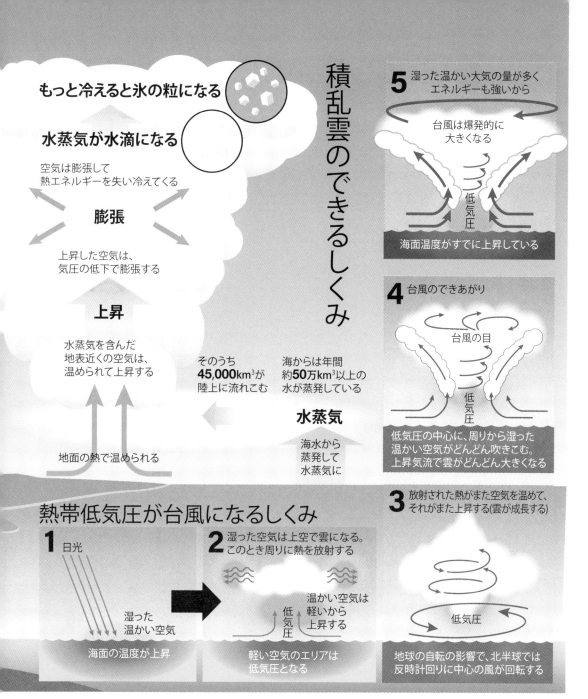

# 積乱雲のできるしくみ

**5** 湿った温かい大気の量が多く
エネルギーも強いから

台風は爆発的に
大きくなる

低気圧

海面温度がすでに上昇している

**4** 台風のできあがり

台風の目

低気圧

低気圧の中心に、周りから湿った
温かい空気がどんどん吹きこむ。
上昇気流で雲がどんどん大きくなる

もっと冷えると氷の粒になる

水蒸気が水滴になる

空気は膨張して
熱エネルギーを失い冷えてくる

## 膨張

上昇した空気は、
気圧の低下で膨張する

## 上昇

水蒸気を含んだ
地表近くの空気は、
温められて上昇する

そのうち
**45,000km³**が
陸上に流れこむ

海からは年間
約**50万km³**以上の
水が蒸発している

## 水蒸気

海水から
蒸発して
水蒸気に

地面の熱で温められる

**3** 放射された熱がまた空気を温めて、
それがまた上昇する(雲が成長する)

低気圧

## 熱帯低気圧が台風になるしくみ

**1** 日光

湿った
温かい空気

海面の温度が上昇

**2** 湿った空気は上空で雲になる。
このとき周りに熱を放射する

温かい空気は
軽いから
上昇する

低気圧

軽い空気のエリアは
低気圧となる

地球の自転の影響で、北半球では
反時計回りに中心の風が回転する

を降らせます。雨や雪は地面に浸みこんで、一部は地下水となり、また一部は湧き水となって川に注ぎこみ、最後は海に戻ります。そして再び、同じサイクルを繰り返します。

この水の循環システムのなかでも、大きな役割を果たすのが雲です。上のイラストに示したように、水蒸気は空気中のチリに付着して上昇します。上空にいくほど、気圧が低くなる、つまり、周りから押される

力が弱くなるため、水蒸気を含んだ空気は、それを押し戻すようにして膨らみます。膨らむためにはエネルギーを使うので、温度が下がり、水蒸気は水滴に姿を変えます。この水滴が集まったものが、雲の正体です。雲の中の水滴が増えてぶつかり合い、大きな水滴になると、重さに耐えきれずに雨になって落ちてきます。このとき上空の温度が低いと、水滴は凍って雪になるのです。

# 炭素は生命圏と自然界を結びつけて循環している

## CO₂をやりとりする動植物

　地球を温める温室効果ガスとして働く二酸化炭素（CO₂）は、炭素原子1個と酸素原子2個が結びついた炭素化合物です。炭素は、酸素や水素と同様、生命を維持するために欠かせない原子であり、糖やデンプ

ン、タンパク質など、さまざまな炭素化合物に形を変えて、自然界を循環しています。

　これを「炭素循環」といいますが、ここで重要な役割を果たすのが、植物です。植物は、大気中に含まれるCO₂を、光合成によって糖やデンプンに変えて成長します。それを食べた動物は、呼吸によって

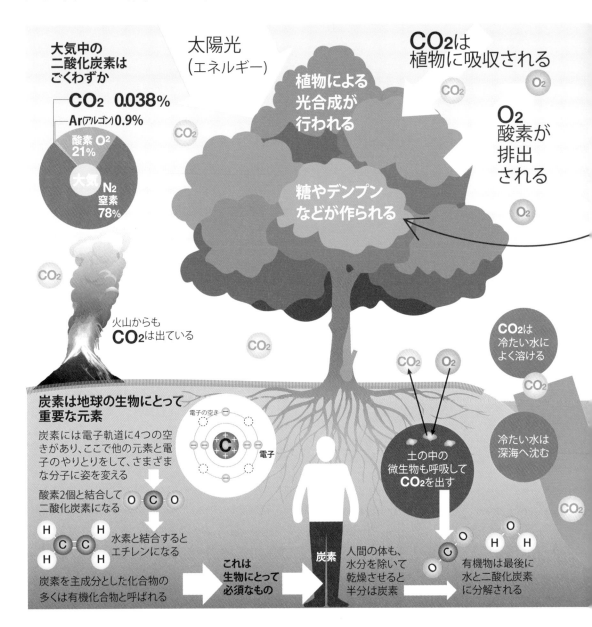

CO₂を吐き出し、命を終えると微生物によって分解され、やはりCO₂になって大気に戻ります。同様に、海の生き物の間でも、炭素のやりとりが交わされています。

また、p19で見たように、海の水は冷たい海域では、重くなって深いところまで沈みこみます。このとき、大気から海に溶けこんだCO₂も一緒に沈み、数十年から数千年もの長い間、深海に閉じこめられたのち、やがて海の表層に現れて大気に戻っていきます。

## 炭素循環から外れた人間活動

炭素循環によって、大気中から取りこまれるCO₂と、放出されるCO₂の量は、ほぼつり合っています。ところが、人間が石炭や石油を燃やすようになったため、大気中のCO₂が増加しています。石炭や石油は、何億年も前の動植物の化石であり、炭素からできています。長い間、地中に蓄えられていた炭素を、人間が短期間で大気中に放出し、炭素循環を乱しているのです。

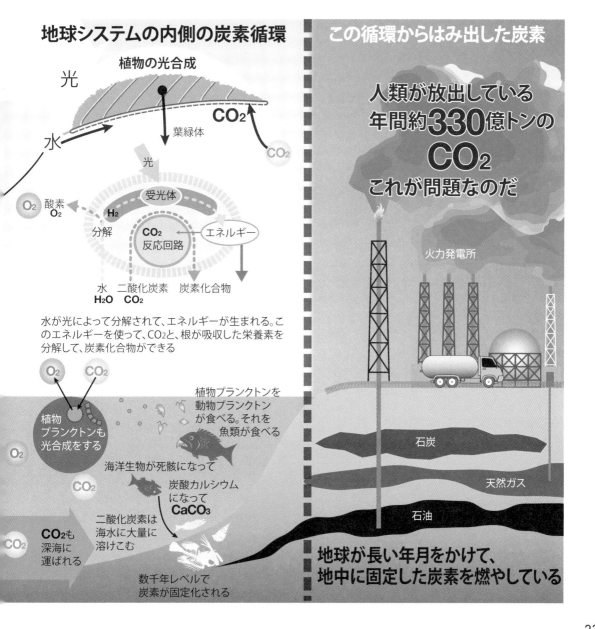

## 地球システムの内側の炭素循環

光
植物の光合成
水
CO₂

葉緑体
CO₂

光
受光体
酸素 O₂
H₂
分解
CO₂ 反応回路 ← エネルギー

水 二酸化炭素 炭素化合物
H₂O CO₂

水が光によって分解されて、エネルギーが生まれる。このエネルギーを使って、CO₂と、根が吸収した栄養素を分解して、炭素化合物ができる

O₂ CO₂
植物プランクトンも光合成をする
O₂
CO₂

植物プランクトンを動物プランクトンが食べる。それを魚類が食べる

海洋生物が死骸になって
炭酸カルシウムになって
CaCO₃

CO₂も深海に運ばれる

二酸化炭素は海水に大量に溶けこむ

数千年レベルで炭素が固定化される

## この循環からはみ出した炭素

人類が放出している
年間約330億トンの
CO₂
これが問題なのだ

火力発電所

石炭
天然ガス
石油

地球が長い年月をかけて、地中に固定した炭素を燃やしている

# さまざまな気候要素が連携し
# 地球上に複雑な気候をつくる

## 大気や海の循環が気候を決める

下の地図は、「ケッペンの気候区分」を色分けしたものです。このように、地域によって気候が異なるのは、なぜでしょう?

太陽の熱が一番多く届く赤道付近では、熱で温められた空気が、水蒸気を含んで上昇し、雲をつくって雨を降らせます。これが、高温多雨の熱帯雨林気候です。

熱帯で雨を降らせた空気は、大気の循環によって、中緯度までくると下降し、熱く乾いた空気を地表にもたらします。また、下降気流が発生するところでは、雲ができないため、雨がほとんど降りません。その

# 地球の複雑な気候は、水と大気と温度の

**熱帯雨林気候**
最も熱い地帯。熱帯低気圧帯でもある。海面などの水蒸気が上昇し大量の雨が降る

**熱帯モンスーン気候**
モンスーン(季節風)の影響があり、乾季があり、稲作が行われる

**サバナ気候**
夏の多雨、冬の少雨が特徴。乾燥に強い樹木が草原をつくる

**ステップ気候**
年間を通して雨が少なく、雨季に少量の雨が降る。昼と夜の気温差が激しい

**砂漠気候**
年間気温10℃以上で、降雨のほとんどない地帯

**地中海性気候**
地中海と、中緯度の西海岸地区。冬に降雨があり、夏は乾燥する

**温暖冬季少雨気候**
各大陸のサバナ気候と温暖湿潤気候の中間地域

**温暖湿潤気候**
四季があり、夏は高温で湿潤、冬は低温で乾燥する。北海道と東北の一部を除く日本の大部分がこの気候

**西岸海岸性気候**
大陸西岸の高緯度地方に多い。夏の温度が低く過ごしやすい

**冷帯(亜寒帯)湿潤気候**
北半球の北緯40度以北の大部分。地球上に最も広く分布する。夏は10℃を超すが、冬は-3℃を下まわる。冬の降雪は多い

**冷帯(亜寒帯)冬季少雨気候**
冬季は-30℃を超える地区もある。降雨は少ない

**ツンドラ気候**
暖かい時期で-3℃以上10℃未満。一年のほとんどが氷雪に覆われている

**氷雪気候**
年間を通じて氷雪が覆う。植物の自生はなく、人間も居住できない

偏西風

東海岸地域が温暖なのは、このメキシコ湾流のおかげ

メキシコ湾流

**❶**

**エルニーニョ現象**
この海域の海水温度の変化が、世界の気候に大きな変化を及ぼしている

詳しくは
p40-41

＊海流のルートは単純化しています

ため、一年中乾燥した砂漠気候が生じます。

気流が垂直に移動するのに対し、水平方向に流れるのが、風です。風は、気圧の高いところ（高気圧）から低いところ（低気圧）に空気が流れることで起こります。アジアでは、夏は海上の高気圧から陸上の低気圧に向かって南東の風が吹き、冬は気圧配置が逆になって、北西の風が吹きます。これがモンスーン（季節風）と呼ばれるもので、夏は雨季、冬は乾季をもたらします。

日本に台風がよく上陸するのも、風の影響です。台風は熱帯低気圧が発達したもので、太平洋高気圧から吹きだす風、貿易風、偏西風という３つの風に押されて弓なりに進路を変え、日本を直撃します。

また、西ヨーロッパは高緯度なのに冬でも比較的温暖なのは、南方の海から流れてくる暖流と、その上を吹く偏西風が、温かい空気を運んでくるためです。

このように、大気や海洋の循環、地形などが相互作用することによって、地球上に複雑な気候がつくり出されています。

# 相互作用の結果

暖流

偏西風と暖流のおかげで、ヨーロッパは高緯度なのに冬暖かく、夏涼しい西岸海岸性気候

偏西風

**日本に台風が多いのは、偏西風のせい**

❶ 赤道付近で大きな熱帯低気圧ができ、台風に成長する

❷ 北東からの貿易風に押されて、西へ進む

❸ 大陸からの偏西風に進路を押し曲げられて

❹ 日本列島に沿って東へ進む

❷
❸ 中緯度帯に砂漠ができる

**熱帯低気圧と中緯度付近の高気圧の大気循環**

❶ 赤道付近の海水の熱で水蒸気が発生し、上昇して雲をつくり、雨を降らせる(熱帯低気圧の発生)

❷ その大気が涼しい高緯度に移動し、上空で冷えて降下する(中緯度30度付近の高気圧の発生)ため雲ができず、乾燥地帯をつくる

❸ 降下した空気は、熱帯の低気圧帯へ吹き戻る。これが貿易風と呼ばれる

**夏に大雨を降らせるアジアのモンスーンの大気循環**

❶ 陸地の高熱で上昇気流ができる

❷ 高温の大気は、比較的低い海洋に移動する

❸ 上空で冷やされて、降下して高気圧帯をつくる

❹ 海の水蒸気を含んだ風として、大陸に吹きつける

❺ ヒマラヤ山脈にぶつかり、多量の雨を降らせる

北半球の中緯度地帯と同じ大気循環が起こっている

**オーストラリアが乾燥するわけ**

砂漠地帯が広がり近年日照りが続き、山火事が多発している

南極周回流

# 天気予報だけではない
# 気象観測システムの役割

## さまざまな気象観測システム

気象（天気）は、日々刻々と変化しています。その動きをとらえるために、日本では、気象庁によって全国各地に気象台や測候所が置かれ、気圧、気温、湿度、風向、風速、降水量などの気象観測が行われてい

ます。また、全国約1300カ所に地域気象観測システム「アメダス」が設置され、各地域の気温、降水量、風、日照時間などを自動的に観測しています。

さらに、上空の大気を観測するラジオゾンデ、広範囲に存在する雨や雪を観測する気象レーダー、宇宙空間から雲や水蒸気

## 世界気象衛星観測網

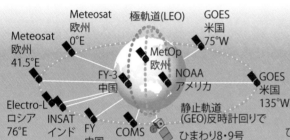

Meteosat
欧州
0°E

Meteosat
欧州
41.5°E

極軌道(LEO)

GOES
米国
75°W

MetOp
欧州

FY-3
中国

NOAA
アメリカ

GOES
米国
135°W

Electro-L
ロシア
76°E

INSAT
インド
82°E

FY
中国
105°E

COMS
韓国
128°E

静止軌道
(GEO)反時計回りで

ひまわり8・9号
日本
140.7°E

地球は世界各国の衛星観測によって、陸域、海洋の気象・大気、環境を24時間モニターされている。アメリカは、これ以外にも海洋を観測し、地球の水環境に関わるデータを収集する「Aqua」、陸地、大気、海洋の観測を続けて、森林の植生変化などをとらえる「Terra」など多数の衛星を運用している

### 海洋地球研究船
### みらい

北極海や太平洋、インド洋で観測航海を実施。観測データの乏しい北極海上では、海氷減少に伴う海洋変動の解明にあたる

## 日本が運用する気象観測システム

### 気象観測衛星
### ひまわり8・9号

ひまわり8号が2014年から運用開始。最先端の可視赤外線放射計を搭載。より高精度の地球のカラー画像データを、短時間で得ることが可能になった。9号が2016年に打ち上げられ、8号の予備機として待機する

ラジオゾンデ

### 気象庁
### 海洋気象観測船
### 啓風丸

海水中や大気中の$CO_2$濃度や汚染物質などの観測を行う

を観測する静止気象衛星「ひまわり」など、さまざまな方法で観測データが集められ、これが、私たちが見る天気予報などに役立てられています。

## 国際的な連携で全地球を観測

気象観測は、天気予報のためだけに行われているわけではありません。現在の気象観測は、進行する気候変動や地球環境の変化を観測する使命も担っています。

気象庁は、海洋気象観測船によって海上の大気や海水中の $CO_2$ を観測しています。宇宙航空研究開発機構（JAXA）は、気候変動や温室効果ガスなどを観測するために、複数の人工衛星を打ち上げています。

こうした取り組みは、各国で行われていますが、それらを統合するために、2005年に国際組織「地球観測に関する政府間会合」が発足。世界各国の連携によって、地球全体を観測する「全球地球観測システム」を構築し、地球環境の諸問題の解決に貢献することを目指しています。

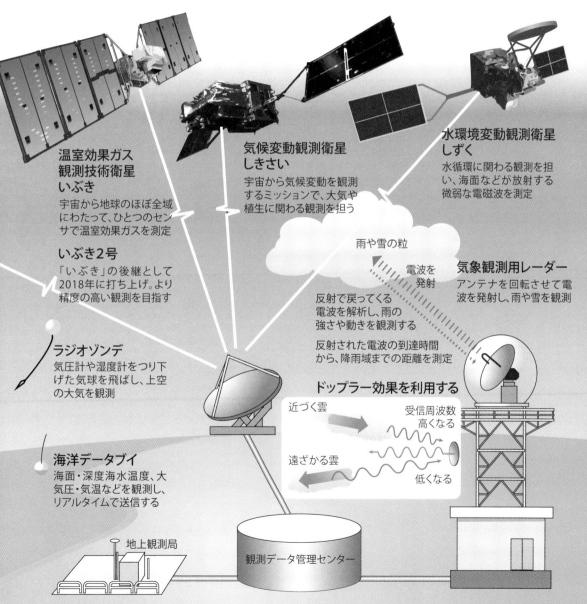

**温室効果ガス観測技術衛星 いぶき**
宇宙から地球のほぼ全域にわたって、ひとつのセンサで温室効果ガスを測定

**いぶき2号**
「いぶき」の後継として2018年に打ち上げ。より精度の高い観測を目指す

**気候変動観測衛星 しきさい**
宇宙から気候変動を観測するミッションで、大気や植生に関わる観測を担う

**水環境変動観測衛星 しずく**
水循環に関わる観測を担い、海面などが放射する微弱な電磁波を測定

雨や雪の粒

電波を発射

**気象観測用レーダー**
アンテナを回転させて電波を発射し、雨や雪を観測

反射で戻ってくる電波を解析し、雨の強さや動きを観測する

反射された電波の到達時間から、降雨域までの距離を測定

**ラジオゾンデ**
気圧計や湿度計をつり下げた気球を飛ばし、上空の大気を観測

**ドップラー効果を利用する**

近づく雲　受信周波数高くなる

遠ざかる雲　低くなる

**海洋データブイ**
海面・深度海水温度、大気圧・気温などを観測し、リアルタイムで送信する

地上観測局

観測データ管理センター

# 地球の気候を再現する
# 気候モデルで未来を予測

## 大気の変化をシミュレーション

テレビの天気予報では、雨雲や気圧の位置が、今後どのように変化するか、わかりやすく動画で示されます。このように未来の天気を詳しく予測できるのは、アメダスや気象衛星などから集めた観測データをもとに、スーパーコンピュータを使って大気状態をシミュレーションしているからです。

天気は刻々と変わり、とらえどころがないように思えますが、風が吹いたり雨が降ったりするのは物理現象です。そのため物理の法則に基づく数式で表すことができ、コンピュータに計算させて、地球の天

もし二酸化炭素の排出量が2倍になったら、
地球の気候がどう変化するか、知りたい。
しかし、試してみるわけにはいかない

### 地球は1つしかない
### ならば、もう1つの地球をつくろう

### 地球全体の気候をシミュレーションできる
### 全球気候モデルが誕生した

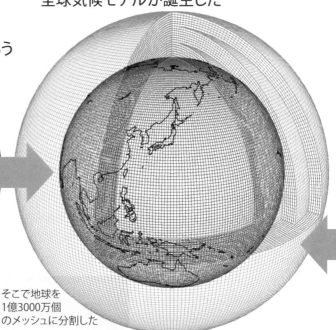

地球全体の
気象データは
あまりにも膨大 ▶ そこで地球を
1億3000万個
のメッシュに分割した

右ページにあるような気象現象を数値モデル化し、
さまざまな条件データを入れることで、気象現象を
シミュレーションするコンピュータシステム

このメッシュは水平に100km、垂直方向に約1km。
この空間を単位にして、気象モデルを計算し、
全地球の気候をシミュレーションする

気象予測はコンピュータの
進化とともに発展。写真は、
海洋研究開発機構が運用す
るスーパーコンピュータ「地
球シミュレータ」。2002年の
稼働開始から2年半、世界
最速の地位を保った。気候
変動予測などの高精度なシ
ミュレーションを行い、IPCC
報告書にも貢献

気を予測することが可能なのです。

## 気候モデルで気候変動を予測

コンピュータによるシミュレーションは、天気予報だけではなく、もっと長期間にわたる気候の変化を予測するためにも用いられています。それが、地球の気候システムを再現した「気候モデル」です。地球全体の気候をシミュレーションするモデルは、全球気候モデルとも呼ばれます。

気候モデルは、気候変動のメカニズム研究や地球温暖化予測などを目的として開発され、日本では、海洋研究開発機構が運用する世界レベルのスーパーコンピュータ「地球シミュレータ」を用いた気候モデルや、気象庁気象研究所の「地球システムモデル」が知られています。過去から現在までの膨大なデータをもとにして、コンピュータのなかに仮想地球をつくり、未来を予測する試みは、各国で行われています。これらの気候モデルが導き出す予測は、国の政策決定などに役立てられています。

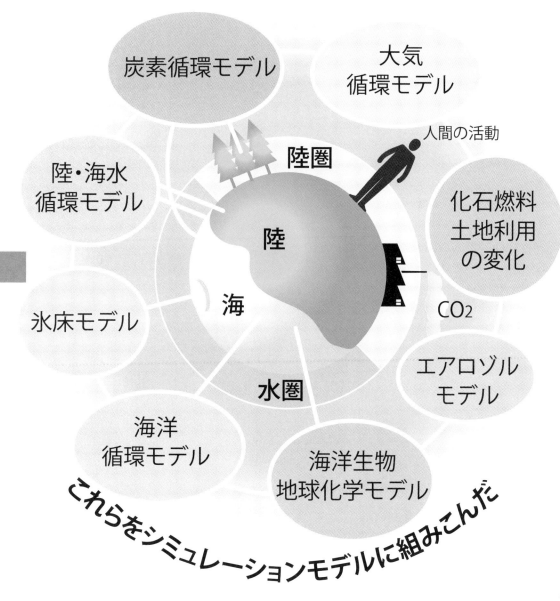

炭素循環モデル

大気循環モデル

陸・海水循環モデル

人間の活動

化石燃料土地利用の変化

陸圏

陸

海

CO2

氷床モデル

エアロゾルモデル

水圏

海洋循環モデル

海洋生物地球化学モデル

これらをシミュレーションモデルに組みこんだ

# 気候変動を繰り返してきた
# 地球46億年の歴史

## 繰り返される寒冷期と温暖期

地球の気候は、46億年の長い歴史のなかで、寒冷期と温暖期を繰り返してきました。約40億年前に誕生した生命は、劇的な気候の変化のなかで、進化してきたのです。

約25億年前から約5.4億年前までの原生代には、地球全体が凍りつくスノーボールアース（全球凍結）と呼ばれる大氷河期が数度あったと考えられています。その後、火山噴火によってCO2が増え、地球は温暖化し、多様な多細胞生物が生まれました。

最初は海の中だけに生息した動植物は、やがて陸に上がります。約3.6億〜3億年

## 地球の46億年と、気候変動の歴史

**46億年前**
地球誕生

**44億年前頃**
地球に海ができる

**40億年前頃**
最初の単細胞生物が誕生

この間、生命はしぶとく生き延び、多細胞生物へと進化した

**スノーボールアース時代**

**23億年前**

**7億年前**
地球の温度が−40℃になり、全地球が氷で覆われた

**6.5億年前**

**6億年前**
地球の氷が溶ける

**カンブリア爆発が起きる**

多細胞生物の爆発的な増殖が起きた

大気中の酸素が増加する

大発生した水中の藻類の光合成

太陽の黒点が消えて

**現在の私たち**
**CO2**
地球の温暖化による気候大変動が起きようとしている

新型コロナウイルスによるパンデミックまで発生

**18世紀後半**
産業革命
二酸化炭素の排出

**13世紀**
地球は寒冷化する
ヨーロッパ受難の時代

天候不順・凶作
飢餓が発生
戦乱が起きる

ペストなど感染症の流行

**900年頃**
地球が暖かくなる

ヨーロッパ中世は暖かな時代

農業の興隆

**第4寒冷期**
**紀元前100年頃**
寒さから逃れて騎馬遊牧民が南下

**匈奴の南下**

フン族の南下

**気候変動が世界を激動させた**

ゲルマン民族の大移動　　中国の大混乱

前の石炭紀と呼ばれる時代には、大森林が発達。この時代の植物の化石が、現在、燃料として使われている石炭です。

## 生物を翻弄した気候変動

生物は、過去5回の大量絶滅を経験しています。温暖な気候が続いて長期間存続した恐竜も、小惑星の衝突による環境変化が原因で、約6500万年前に滅びてしまいました。その後、ほ乳類が繁栄し、人類の祖先が誕生。一方、地球は寒冷化して、氷河時代を迎えます。氷河が拡大する氷期と、温暖になる間氷期が、約10万年周期で繰り返され、最後の氷期が終わったのは、約1万年前。以来、間氷期が続いていますが、その間にも小規模な寒冷期と温暖期が周期的に訪れ、人類にも影響を与えました。

こうした気候変動の周期は、地球の自転などによって太陽の日照量が変わるためと考えられています。では、現在の気候変動は、これまでのものとどう違うのでしょう。次のページから詳しく見ていきます。

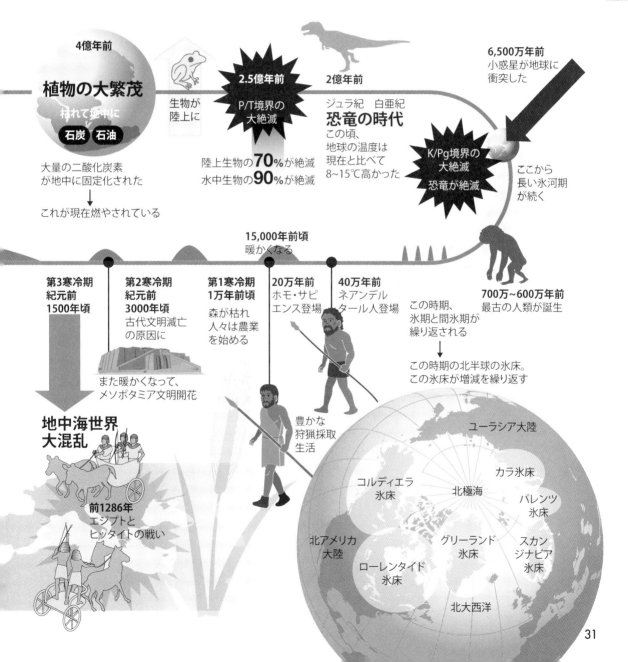

**4億年前**

**植物の大繁茂**

枯れて地中に

石炭　石油

大量の二酸化炭素
が地中に固定化された

これが現在燃やされている

生物が
陸上に

**2.5億年前**
P/T境界の
大絶滅

陸上生物の**70%**が絶滅
水中生物の**90%**が絶滅

**2億年前**

ジュラ紀　白亜紀
**恐竜の時代**
この頃、
地球の温度は
現在と比べて
8~15℃高かった

**6,500万年前**
小惑星が地球に
衝突した

K/Pg境界の
大絶滅
恐竜が絶滅

ここから
長い氷河期
が続く

**15,000年前頃**
暖かくなる

**第3寒冷期**
**紀元前**
**1500年頃**

**第2寒冷期**
**紀元前**
**3000年頃**
古代文明滅亡
の原因に

また暖かくなって、
メソポタミア文明開花

**第1寒冷期**
**1万年前頃**
森が枯れ
人々は農業
を始める

**20万年前**
ホモ・サピ
エンス登場

豊かな
狩猟採取
生活

**40万年前**
ネアンデル
タール人登場

この時期、
氷期と間氷期が
繰り返される

この時期の北半球の氷床。
この氷床が増減を繰り返す

**700万年~600万年前**
最古の人類が誕生

**地中海世界
大混乱**

**前1286年**
エジプトと
ヒッタイトの戦い

コルディエラ
氷床

北アメリカ
大陸

ローレンタイド
氷床

北極海

グリーランド
氷床

北大西洋

ユーラシア大陸

カラ氷床

バレンツ
氷床

スカン
ジナビア
氷床

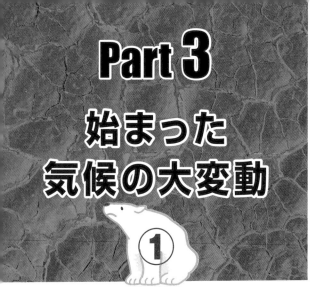

# Part 3
## 始まった気候の大変動 ①

# 温暖化の原因は人間活動と断言できるわけは？

## ◉ 自然にはあり得ない気温上昇

前項で見たように、地球の気候は、太陽の日照量の変化や火山の噴火などによっ

## 地球温暖化裁判傍聴記
### 1. いつから気温は上昇したか

人類への地球君の告発は不当です。発熱は地球君自身の病気です

被告　人類

裁判長

原告　地球

裁判長、私の体は正常に働いています。私の発熱は人類の活動のせいです

地球君はそれを証明できますか？

裁判長

はい、ぼくの発熱の時期はここです。この時期は、人類の産業活動による$CO_2$増加の時期と一致します

気温偏差(℃)

自然起源の放射強制力

ポイント
ここから気温が上昇したこと

— CMIP3
— CMIP5
— 観測

1.5
1.0
0.5
0.0
-0.5
1860　1880　1900　1920　1940　1960　1980　2000年

### 2. 上昇した気温の原因は何か

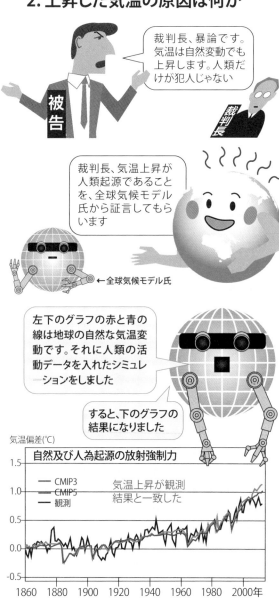

裁判長、暴論です。気温は自然変動でも上昇します。人類だけが犯人じゃない

被告

裁判長

裁判長、気温上昇が人類起源であることを、全球気候モデル氏から証言してもらいます

←全球気候モデル氏

左下のグラフの赤と青の線は地球の自然な気温変動です。それに人類の活動データを入れたシミュレーションをしました

すると、下のグラフの結果になりました

気温偏差(℃)

自然及び人為起源の放射強制力

気温上昇が観測結果と一致した

— CMIP3
— CMIP5
— 観測

1.5
1.0
0.5
0.0
-0.5
1860　1880　1900　1920　1940　1960　1980　2000年

て、これまで何度も変動を繰り返してきました。そのため、いま進行している温暖化も、自然が引き起こしているのではないかと考える人もいます。

これを打ち消したのが、p28〜29で見た気候モデルによるシミュレーションです。下のグラフを見比べてみましょう。自然変動だけを考慮したシミュレーション②では、20世紀前半までは、実際の気温変化①をほぼなぞっていますが、20世紀後半の急激な気温上昇は再現できていません。一方、ここに温室効果ガスなどの影響を加えたシミュレーション③では、実際の気温と同じような上昇ラインを描きます。

こうした結果を受けて、IPCC第5次評価報告書（詳しくはp35）は、95％以上の確率で「20世紀半ば以降の温暖化の主な原因は、人間活動の可能性が極めて高い」と結論づけています。人間は、地球の気候さえも変えてしまったのです。

## 3. シミュレーション結果が正しい理由は

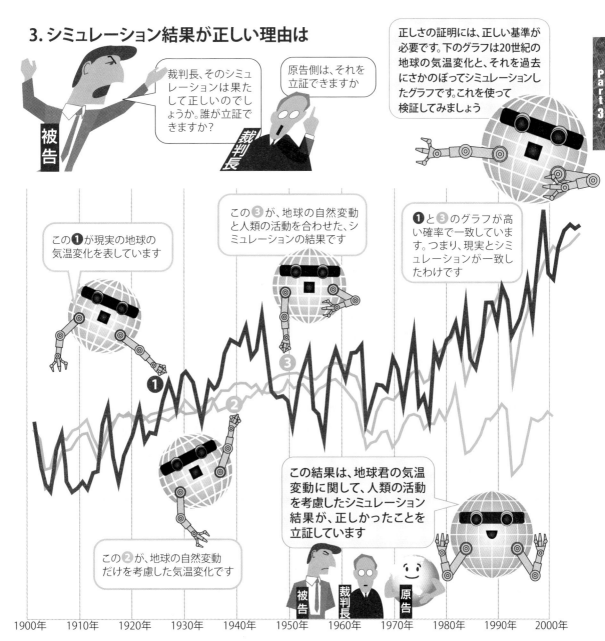

裁判長、そのシミュレーションは果たして正しいのでしょうか。誰が立証できますか？

被告

原告側は、それを立証できますか

裁判長

正しさの証明には、正しい基準が必要です。下のグラフは20世紀の地球の気温変化と、それを過去にさかのぼってシミュレーションしたグラフです。これを使って検証してみましょう

Part3

この❶が現実の地球の気温変化を表しています

この❸が、地球の自然変動と人類の活動を合わせた、シミュレーションの結果です

❶と❸のグラフが高い確率で一致しています。つまり、現実とシミュレーションが一致したわけです

この❷が、地球の自然変動だけを考慮した気温変化です

この結果は、地球君の気温変動に関して、人類の活動を考慮したシミュレーション結果が、正しかったことを立証しています

被告　裁判長　原告

1900年　1910年　1920年　1930年　1940年　1950年　1960年　1970年　1980年　1990年　2000年

# CO₂ 削減努力をしないと
# 気温はここまで上がる

## 温暖化を立証した IPCC

気候変動を科学的に分析し、世界各国の政策決定に大きな影響を与えているのが、IPCC（気候変動に関する政府間パネル）と呼ばれる政府間組織です。1988年に国連環境計画（UNEP）と世界気象機関（WMO）によって設立され、地球温暖化が、人間の活動によって引き起こされたものであることを世界に知らしめた功績により、2007年にはノーベル平和賞を受賞しています。

IPCCの活動の基本となるのは、世界数千人の専門家たちの知見を集めて、定期的に発表される報告書です。

## 全球気候モデル(GCM)は2100年の地球の気候を予測する

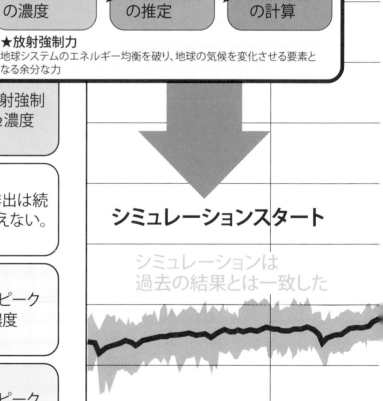

予測の初期値＝
温室効果ガスの
排出量を設定

GCMのシミュレーションの構造

フィードバック

温室効果ガス
の濃度 → 放射強制力
の推定 → 気候応答
の計算

★放射強制力
地球システムのエネルギー均衡を破り、地球の気候を変化させる要素となる余分な力

### 4つの設定条件

**①RCP8.5のシナリオ**
気候政策のない場合は放射強制力8.5、2100年段階で、CO₂濃度936ppmの場合

**②RCP6.0のシナリオ**
気候政策はあるが、CO₂排出は続き2100年でもピークを超えない。CO₂濃度670ppmの場合

**③RCP4.5のシナリオ**
2100年までにCO₂排出がピークアウトし、以後安定。CO₂濃度538ppmの場合

**④RCP2.6のシナリオ**
2100年までにCO₂排出がピークアウトし、それ以降は減少に転じる。CO₂濃度421ppmの場合

シミュレーションスタート

シミュレーションは
過去の結果とは一致した

1900年　　　　1950年

## 100年で最大4.8℃上昇

2013年に発表された最新のIPCC第5次評価報告書では、「RCP（代表的濃度経路）シナリオ」と呼ばれるものが、初めて採用されました。これは、人間が排出する温室効果ガスの大気中の濃度によって、どれだけ気候が変化するかを、4つのシナリオにそって、複数の気候モデルにシミュレーションさせたものです。

下に示したのは、2100年までの気温上昇を予測したシミュレーション結果です。

1986〜2005年の平均気温を0とすると、このままCO$_2$などの温室効果ガスを出し続けることを想定したシナリオ①では、2.6〜4.8℃も気温が上昇。温室効果ガスの排出を最も低く抑えた場合のシナリオ④でも、0.3〜1.7℃上昇する可能性が高い、とIPCCは結論づけています。

この結果だけ見ても、いますぐにでも温室効果ガスの排出量を減らす努力をしなければならないことは明らかです。

# 世界平均気温変化予測
## IPCC第5次報告書をもとに作成

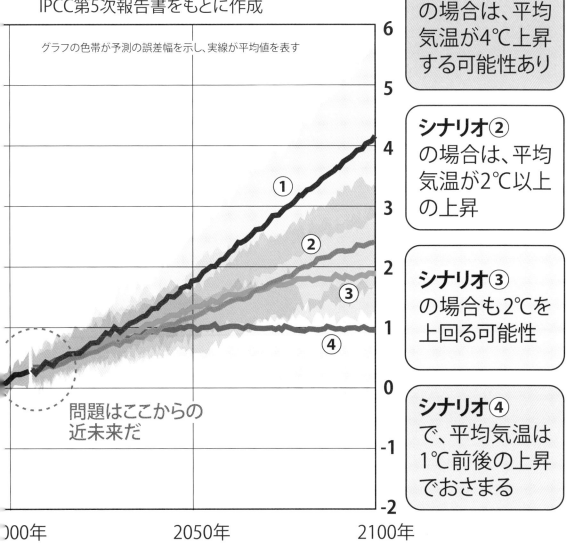

グラフの色帯が予測の誤差幅を示し、実線が平均値を表す

問題はここからの近未来だ

000年　　　　　　2050年　　　　　　2100年

**シナリオ①**
の場合は、平均気温が4℃上昇する可能性あり

**シナリオ②**
の場合は、平均気温が2℃以上の上昇

**シナリオ③**
の場合も2℃を上回る可能性

**シナリオ④**
で、平均気温は1℃前後の上昇でおさまる

Part 3

# 地球温暖化によって
# 異常気象が世界的に増加

## 同じ地域で続く異常な高温

　近年、世界各地で異常気象が頻繁に起こっています。下の地図は、2015年から2019年の間に、平年の気温を上回る異常高温が観測された場所を示したものです。

　異常気象とは、30年に1度くらいしか起こらない気象現象をさしますが、たった5年間に同じ地域で何度も異常高温が記録されていることがわかります。特に、南アフリカからモーリシャスにかけての一帯、アジア南部、北米南部から南米北西部にかけての一帯、オーストラリア沿岸部は、毎年のように異常高温に見舞われています。

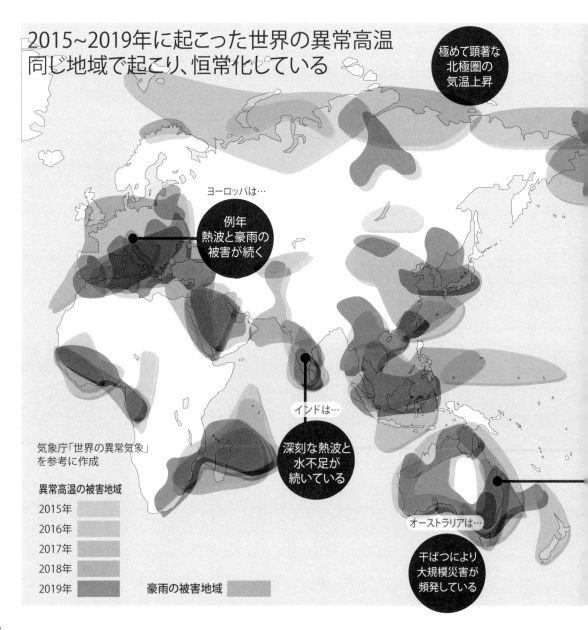

## 2015~2019年に起こった世界の異常高温
## 同じ地域で起こり、恒常化している

極めて顕著な
北極圏の
気温上昇

ヨーロッパは…

例年
熱波と豪雨の
被害が続く

インドは…

深刻な熱波と
水不足が
続いている

オーストラリアは…

干ばつにより
大規模災害が
頻発している

気象庁「世界の異常気象」
を参考に作成

異常高温の被害地域

2015年
2016年
2017年
2018年
2019年

豪雨の被害地域

日本でも、夏の猛暑はもはや異常ではなく、当たり前になりつつあります。

## 降りすぎる雨、降らない雨

そもそも異常かどうかを判断する基準となる平均気温が上昇しています。気象庁によれば、日本の年平均気温は、100年で1.24℃上昇しており、特に1990年代以降、高温になる年が増えています。東京に限れば、100年で3.2℃も上昇しています。温室効果ガスだけでなく、人工建造物に囲まれた都市に人口が集中することも、気温を上昇させる原因になっているのです。

　気温が上昇すると、より多くの水蒸気が海から発生し、より多くの雨を降らせるようになります。これが、近年増加している豪雨の一因です。反対に、もともと雨の少ない地域では、気温上昇によって、ますます雨が降らなくなり、干ばつや森林火災などの被害をもたらします。こうした異常気象が、地球上のいたるところで頻発し、人間の暮らしに影響を与え始めています。

**アメリカ日照り地図**

乾燥傾向
　日常的な乾燥
　特異な乾燥
　厳しい乾燥
　前例のない異常乾燥

アメリカの西海岸から中西部にかけて、深刻な干ばつが続いている

アメリカは…

2019年の干ばつによる森林火災は、10億匹以上の動物を犠牲にした。日本の3分の1の面積が焼失したといわれる

超乾燥
乾燥
半乾燥

**カリフォルニア、サンタバーバラの山火事**

オーストラリアの森林火災で被災したカンガルーの子供を保護する消防隊員

37

# ヨーロッパを襲う熱波は
# 北極の温暖化が原因

## 21世紀に頻発する熱波

　2019年夏、ヨーロッパは2度にわたって記録的な熱波に襲われました。フランスでは、観測史上最高の45.9℃を記録し、熱中症や熱射病で約1,500人が亡くなりました。

　熱波とは、平均気温を大きく上回る高温の空気が、ある地域を覆う現象をいいます。日本の猛暑に似ていますが、広い地域で何日にもわたって高温が続くのが特徴です。

　ヨーロッパは、過去に何度も熱波に襲われていますが、特に2003年の大熱波以来、発生頻度が多くなっており、地球温暖化の影響によるものと考えられています。

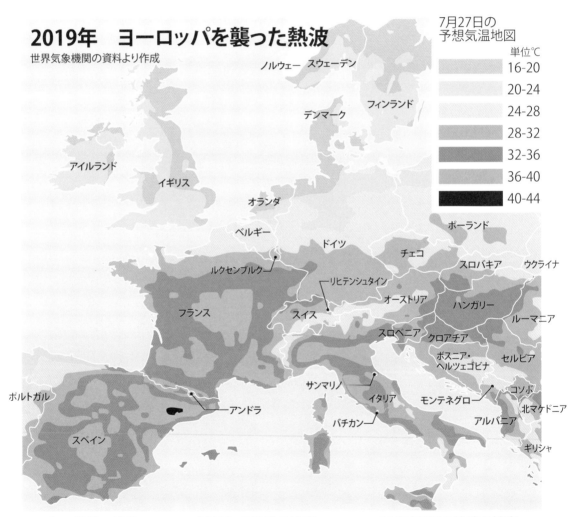

## 2019年　ヨーロッパを襲った熱波
世界気象機関の資料より作成

7月27日の予想気温地図

単位℃
- 16-20
- 20-24
- 24-28
- 28-32
- 32-36
- 36-40
- 40-44

### 2019年の熱波の被害
南フランスでヨーロッパ観測史上最高気温45.9℃を記録。ヨーロッパ全域で学校の閉鎖、避難が続発した。ドイツでは高速道路が熱で曲がり、運転を制限。スペインでは山火事で100km²が焼失した

### 2018年の熱波の被害
スペイン、ポルトガルを中心に熱波が襲う。ポルトガルで最高気温45℃を超す。ギリシャでは山火事で91人が死亡。ヨーロッパ全域で農作物に深刻な被害が及んだ

### 2017年8月の熱波の被害
スペインからルーマニアまで広範囲が熱波に襲われる。連日40℃を超え、64人が死亡。イタリアでは、この熱波を聖書の堕天使「ルシファー」と命名。ナポリでは体感温度55℃を記録した

## 北極の温暖化が偏西風を乱す

　熱波は、北半球では「ブロッキング現象」によって偏西風の蛇行が大きくなり、高気圧が長期間同じところにとどまることによって起こります。下のイラストに示したように、赤道付近から流れこむ温かい風が、蛇行する偏西風にブロックされてしまい、長いときは何週間も晴天が続きます。そのため夜になっても大気が冷えず、気温がどんどん上昇していくのです。

　最近の研究では、熱波の発生には、北極の温暖化が関わっているのではないかといわれています。偏西風は、北極の冷たい空気と赤道の温かい空気の温度差によって生じていますが、北極の温暖化によって温度差が小さくなっています。そのため偏西風の速度が遅くなり、蛇行が大きくなって、ブロッキング現象を起こしやすくなっていると考えられています。偏西風の乱れは、熱波だけでなく、長期間続く大雨や干ばつなども引き起こしています。

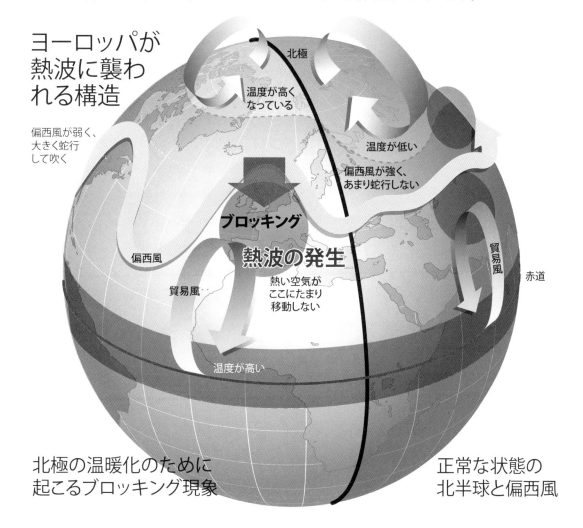

### ヨーロッパが熱波に襲われる構造

偏西風が弱く、大きく蛇行して吹く

北極

温度が高くなっている

温度が低い

偏西風が強く、あまり蛇行しない

ブロッキング

**熱波の発生**

熱い空気がここにたまり移動しない

偏西風

貿易風

貿易風

赤道

温度が高い

### 北極の温暖化のために起こるブロッキング現象

### 正常な状態の北半球と偏西風

### 2010年の熱波の被害
ロシアを中心とした東ヨーロッパを熱波が襲う。ロシアは記録的な猛暑による森林火災、干ばつも加え、15,000人が死亡し、1兆3000億円の経済被害が発生した

### 2003年の熱波の大被害
史上最悪の熱波被害が起きる。フランスだけで約15,000人、ヨーロッパ9カ国で合計約52,000人が死亡。この経験から、気象観測による熱波予測が行われるようになり、事前の予防対策が講じられるようになった

# エルニーニョ現象が強まり
# 異常気象が頻繁に起こる

## 海面水温の異常が原因

　異常気象を引き起こす原因として、よく知られているものに「エルニーニョ現象」と「ラニーニャ現象」があります。

　エルニーニョ現象は、太平洋東側の赤道付近の海面水温が平年より高くなり、その状態が1年ほど続く現象です。反対に、同じ海域で、海面水温が平年より低い状態が続く現象が、ラニーニャ現象です。

　エルニーニョ現象が起こると、貿易風と呼ばれる東風が、平年より弱くなり、西側に運ばれるはずの温かい海水が、東に広がります。そのため、平常ならインドネシア

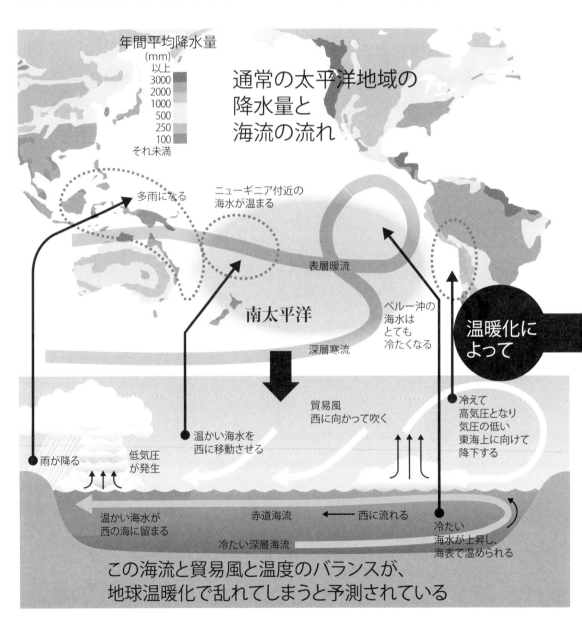

年間平均降水量
(mm)
以上
3000
2000
1000
500
250
100
それ未満

通常の太平洋地域の
降水量と
海流の流れ

多雨になる

ニューギニア付近の
海水が温まる

表層暖流

南太平洋

深層寒流

ペルー沖の
海水は
とても
冷たくなる

温暖化に
よって

貿易風
西に向かって吹く

冷えて
高気圧となり
気圧の低い
東海上に向けて
降下する

雨が降る

低気圧
が発生

温かい海水を
西に移動させる

温かい海水が
西の海に留まる

赤道海流　←　西に流れる

冷たい深層海流

冷たい
海水が上昇し、
海表で温められる

## この海流と貿易風と温度のバランスが、
## 地球温暖化で乱れてしまうと予測されている

あたりに雨を降らせる積乱雲が、東に移動し、アメリカ西部に大雨を降らせます。

一方、ラニーニャ現象が起きると、貿易風が強くなり、温かい海水をより多く西側に運ぶので、インドネシア近海の海上で、積乱雲が盛んに発生します。反対に、東側には冷たい海水がたまるため、アメリカは乾燥して干ばつや山火事に襲われます。

## 温暖化で異常気象が極端化

どちらの現象も数年おきに発生し、世界の気象に大きな影響を与えます。日本への影響としては、エルニーニョ現象なら冷夏・暖冬、ラニーニャ現象なら猛暑・厳冬となる傾向があります。

温暖化が進むと、大気と海洋のバランスが崩れ、エルニーニョ現象やラニーニャ現象による影響が、より強くなると予想されています。特に、強いエルニーニョ現象が起きた直後にラニーニャ現象が起こると、干ばつと豪雨のような両極端の気象が続き、大きな被害をもたらす恐れがあります。

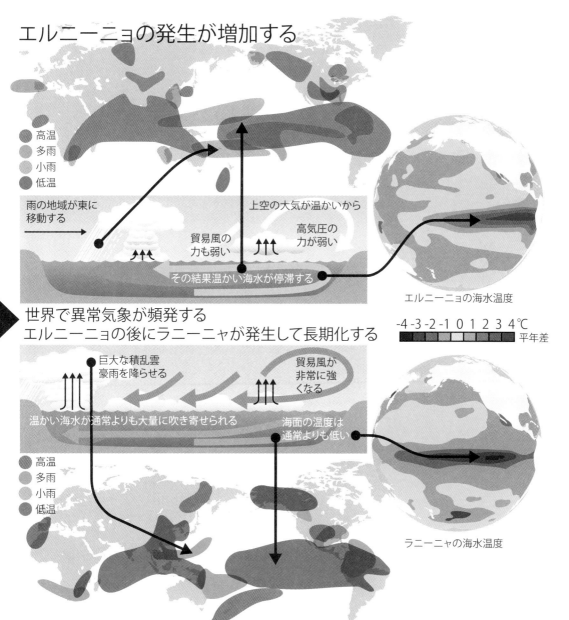

# エルニーニョの発生が増加する

高温
多雨
小雨
低温

雨の地域が東に移動する

上空の大気が温かいから

高気圧の力が弱い

貿易風の力も弱い

その結果温かい海水が停滞する

エルニーニョの海水温度

## 世界で異常気象が頻発する
## エルニーニョの後にラニーニャが発生して長期化する

-4 -3 -2 -1 0 1 2 3 4℃
平年差

巨大な積乱雲
豪雨を降らせる

貿易風が非常に強くなる

温かい海水が通常よりも大量に吹き寄せられる

海面の温度は通常よりも低い

高温
多雨
小雨
低温

ラニーニャの海水温度

# 地球の水の循環が乱れ
# 気候変動のスイッチが入る

## 温暖化がもたらす水危機

地球は、水の惑星と呼ばれます。ほかの惑星と違って、豊かな水があるからこそ、多種多様な生物が誕生し、人類の文明も育まれてきました。

しかしいま、地球上の水に危機が訪れています。p20〜21で見たように、水は水蒸気や氷に形を変え、絶妙なバランスをとりながら、大気と海と陸を循環しています。ところが、地球温暖化によって、この循環に乱れが生じています。

気温上昇の影響を直接受けているのは、地球上の淡水の7割を占める氷床や氷河で

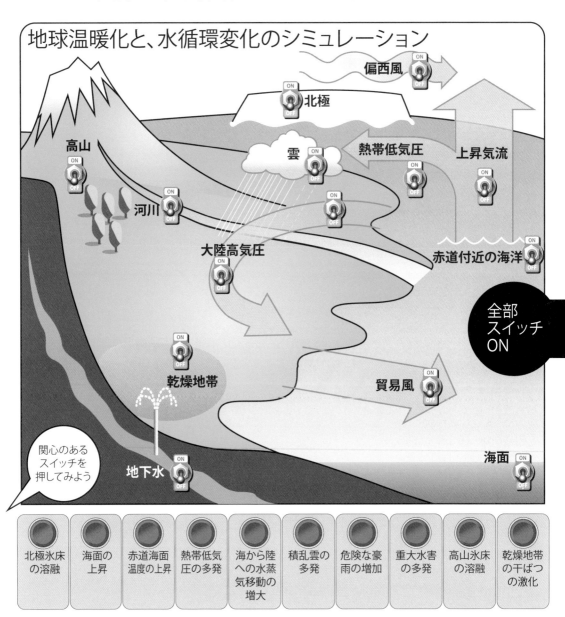

地球温暖化と、水循環変化のシミュレーション

偏西風
北極
高山
雲 熱帯低気圧 上昇気流
河川
大陸高気圧
赤道付近の海洋
全部スイッチON
乾燥地帯
貿易風
関心のあるスイッチを押してみよう
地下水
海面

| 北極氷床の溶融 | 海面の上昇 | 赤道海面温度の上昇 | 熱帯低気圧の多発 | 海から陸への水蒸気移動の増大 | 積乱雲の多発 | 危険な豪雨の増加 | 重大水害の多発 | 高山氷床の溶融 | 乾燥地帯の干ばつの激化 |

す。北極圏のグリーンランドや南極の氷床、高地にある氷河などが、溶け出して海に流れています。その結果、起きているのが、海面上昇です。海の水位が上がり続けると、陸の沿岸部や小さな島は、浸水や水没の危機にさらされてしまいます。

## 水循環の乱れが連鎖

また、気温上昇によって、海水の温度が上がると、海から多くの水蒸気が発生し、大気中に蓄えられます。この水蒸気をエネルギーとして、海上では強い熱帯低気圧が発生し、暴風や豪雨をもたらします。

反対に、もともと降水量の少ない乾燥地帯は、気温上昇によって、ますます乾燥し、地下水も枯渇して水不足に襲われます。

地球の気温上昇が、「臨界点」と呼ばれる限界値を超えると、こうした水循環の異変が連鎖して起こり、気候変動が一気に加速化するといわれています。次のページからは、水循環の異変がもたらすさまざまな問題を、詳しく見ていきましょう。

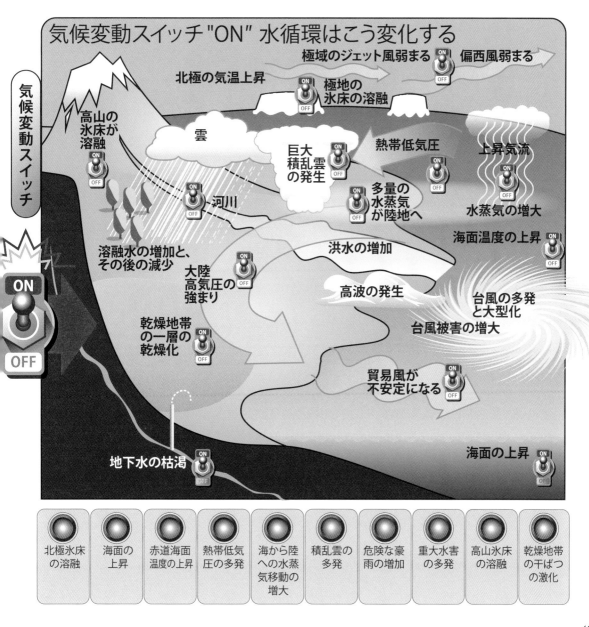

43

# 台風が大型化し
# 日本への被害が拡大

## 日本を直撃する巨大台風

　近年、日本に上陸する台風が、大型化しています。特に2019年の台風19号（ハギビス）は、各地に記録的豪雨をもたらしました。総雨量は、東日本を中心に17地点で500㎜を超え、神奈川県箱根町では、

観測史上最高の1000㎜を記録。この大雨によって、各地で河川の氾濫が相次ぎ、土砂崩れや浸水が発生し、77名の人命と多くの家屋が失われました。

　日本には毎年、台風が上陸していますが、これほど広範囲にわたって被害をもたらすことは珍しく、温暖化との関連が指摘され

2019年に
日本に接近
または上陸
した台風

3　台風3号(セーパット)
5　台風5号(ダナス)
6　台風6号(ナーリー)
8　台風8号(フランシスコ)
10　台風10号(クローサー)
15　台風15号(ファクサイ)
17　台風17号(ターファー)
18　台風18号(ミートク)
19　台風19号(ハギビス)

温暖化で偏西風が弱まり、蛇行する
この弱い偏西風に台風は進行を
邪魔され、日本列島に居座る

弱い偏西風

その結果台風被害は
大きくなる

ています。

## 温暖化で台風が勢力を増すわけ

　台風は、熱帯の海上で発生する熱帯低気圧(ていきあつ)が、勢力を増して発達したものです。台風19号の場合、最大瞬間風速が18時間で40mも強まり、巨大台風となりました。

　これほど短時間で大型化したのは、温暖化によって、海水温が上がり、海から蒸発する水蒸気(すいじょうき)が増えたためと考えられます。熱帯低気圧は、大気中の水蒸気が上昇し、

水に変わるときに生じる熱を燃料として発達します。そのため、水蒸気が多いほど、どんどん燃料が注がれて勢力を増すのです。

　台風19号が被害を拡大させたもうひとつの理由は、同じ場所に長時間居座って、大雨を降らせたことです。これは、偏西風(へんせいふう)が例年より北にずれ、台風の速度が弱まったためで、温暖化によって、大気の循環(じゅんかん)が乱れていることと関係しています。台風の強大化と減速化は、今後も増えていくと考えられ、防災(ぼうさい)の強化が求められています。

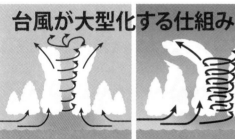

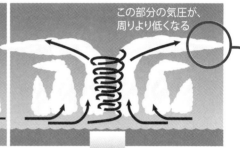

## 台風が大型化する仕組み

台風の中心に大量の湿った空気が渦を巻いて吹き込んでいく

海面温度が高いために、湿った空気が次々と上昇して壁雲もどんどん大きく、高くなる

この部分の気圧が、周りより低くなる

これを等高線で見ると

間隔が狭い 気圧差が大きい

周囲から強い風が吹きこむ

## 台風の強風域が拡大する
## 台風が大型化する

日本の海洋研究開発機構の全球気候シミュレーションでは、強い台風が6.6%増え、平均秒速15mを超える強風域が10.9%拡大することが予測されている

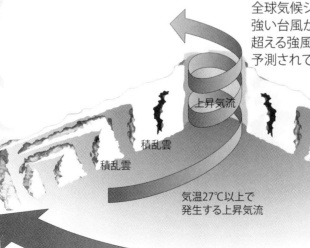

上昇気流

積乱雲

積乱雲

気温27℃以上で発生する上昇気流

## 貿易風に導かれて西進する

# 異常気象によって
# 世界で水害が激化

## 凶暴化する熱帯低気圧

暴風雨(ぼうふうう)などの水害(すいがい)に悩まされているのは、日本だけではありません。下の地図に示したように、2015年から2019年にかけての5年間だけでも、世界各地でさまざまな水害が起きています。

強く発達した熱帯低気圧(ていきあつ)は、北西太平洋や南シナ海で発生すれば「台風」と呼ばれますが、北東太平洋や大西洋では「ハリケーン」、インド洋や南太平洋では「サイクロン」と呼ばれます。また、最大風速がやや弱い台風やハリケーンは、「トロピカル・ストーム」と呼ばれます。いずれも発生場所や風

## 2015~2019年に起きた
## 風水害と干ばつ被害地区地図

気象庁「世界の異常気象」より抜粋して作成

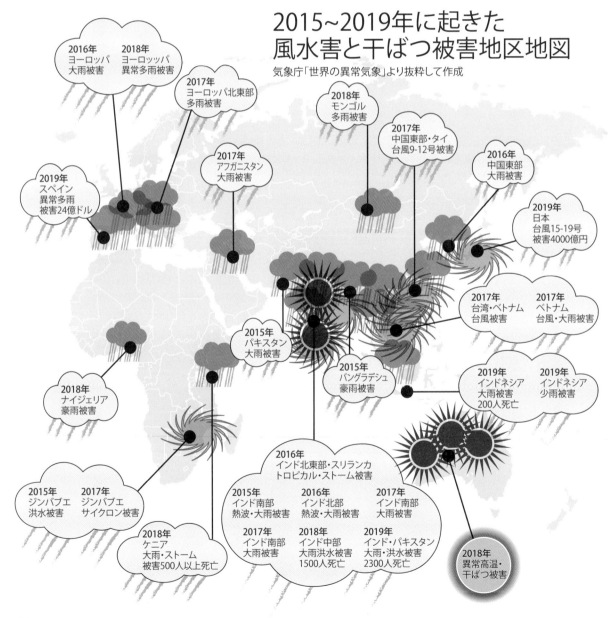

2016年
ヨーロッパ
大雨被害

2018年
ヨーロッッパ
異常多雨被害

2017年
ヨーロッパ北東部
多雨被害

2018年
モンゴル
多雨被害

2017年
中国東部・タイ
台風9-12号被害

2016年
中国東部
大雨被害

2017年
アフガニスタン
大雨被害

2019年
スペイン
異常多雨
被害24億ドル

2019年
日本
台風15-19号
被害4000億円

2017年
台湾・ベトナム
台風被害

2017年
ベトナム
台風・大雨被害

2015年
パキスタン
大雨被害

2015年
バングラデシュ
豪雨被害

2019年
インドネシア
大雨被害
200人死亡

2019年
インドネシア
少雨被害

2018年
ナイジェリア
豪雨被害

2016年
インド北東部・スリランカ
トロピカル・ストーム被害

2015年
ジンバブエ
洪水被害

2017年
ジンバブエ
サイクロン被害

2015年
インド南部
熱波・大雨被害

2016年
インド北部
熱波・大雨被害

2017年
インド南部
大雨被害

2018年
ケニア
大雨・ストーム
被害500人以上死亡

2017年
インド南部
大雨被害

2018年
インド中部
大雨洪水被害
1500人死亡

2019年
インド・パキスタン
大雨・洪水被害
2300人死亡

2018年
異常高温・
干ばつ被害

速が違うだけで、発達するしくみは同じです。温暖化（おんだんか）の影響を受けて、どの海域に発生する熱帯低気圧も強力化しており、アメリカ、インドなどにも大きな被害（ひがい）をもたらしています。

## 水害が多発する21世紀

このほか、アジア各地では洪水被害をもたらす大雨、ヨーロッパでは平年の降水量を上回る異常多雨（いじょうたう）が頻発（ひんぱつ）しています。その反対に、極端に雨が少なく、日照りと水

不足に悩まされている地域もあります。人類の歴史は、自然災害との闘い（たたか）の歴史でもありましたが、特に21世紀になってから水害の発生頻度（ひんど）が増えているのは、温暖化の影響によるものといえるでしょう。

しかし、水害がひどくなった原因は、温暖化だけではありません。人間が、ダム建設や森林伐採（ばっさい）などによって水の循環（じゅんかん）をさまたげていることや、水辺の都市に人口が集中していることも、被害の規模をより大きくしています。

気象庁発表　世界の主な異常気象・気象災害を参考に作成

2011〜17年
カリフォルニア
干ばつ被害

2017年
南西部
異常高温

2018年
ニューヨーク
多雨被害

2019年まで
東海岸
異常多雨被害
が続く

2019年
マイアミ・バハマ
ハリケーン・ドリアン
バハマの被害34億ドル

2018年
カリフォルニア
森林火災

2015年
メキシコ
豪雨被害

2016年
ハイチ
ハリケーン
600人死亡

2016年
ハイチ・ドミニカ
ハリケーン被害

2017年
コロンビア
大雨被害

2017年
カリブ海
ハリケーン
3連続被害

2015年
パラグアイ
多雨被害

2018年
アルゼンチン
干ばつ被害

台風・サイクロン
被害地

豪雨・多雨被害地

異常高温
熱波・干ばつ被害地

## 世界の大規模自然災害は、この40年で倍増している

件
350
300
250
200
150
100
50
0

干ばつ
大雨
洪水

1970　75　80　85　90　95　2000　05　10　15　18

47

# 世界の水の配分が変わり 深刻な水不足に陥る

## 世界に広がる水ストレス

地球上の気候は、地域によって大きく異なります。そのため水は、世界に平等に分配されているわけではありません。雨が多く降る地域もあれば、ほとんど降らない地域もあります。この降水量の差が、温暖化

によってますます広がり、水不足に陥る地域が増えるといわれています。

すでに温暖化の影響が、深刻な水不足をもたらしているのが、アフリカです。厳しい干ばつが何年も続くうえ、水質汚染などによって安全に飲める水が少なく、「水ストレス」と呼ばれる状態に置かれています。

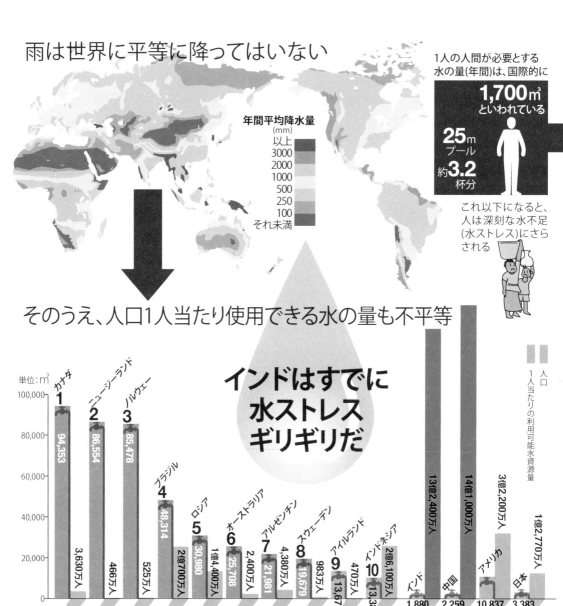

雨は世界に平等に降ってはいない

年間平均降水量
(mm)
以上
3000
2000
1000
500
250
100
それ未満

1人の人間が必要とする水の量(年間)は、国際的に
**1,700m³**
といわれている
**25m**プール
約**3.2**杯分

これ以下になると、人は深刻な水不足(水ストレス)にさらされる

そのうえ、人口1人当たり使用できる水の量も不平等

インドはすでに水ストレスギリギリだ

人口
1人当たりの利用可能水資源量

単位：m³

| 国 | 1人当たり水資源量 | 人口 |
|---|---|---|
| カナダ 1 | 94,353 | 3,630万人 |
| ニュージーランド 2 | 86,554 | 466万人 |
| ノルウェー 3 | 85,478 | 525万人 |
| ブラジル 4 | 48,314 | 2億700万人 |
| ロシア 5 | 30,980 | 1億4,400万人 |
| オーストラリア 6 | 25,708 | 2,400万人 |
| アルゼンチン 7 | 21,981 | 4,380万人 |
| スウェーデン 8 | 19,679 | 983万人 |
| アイルランド 9 | 13,673 | 470万人 |
| インドネシア 10 | 13,381 | 2億6,100万人 |
| インド | 1,880 | 13億2,400万人 |
| 中国 | 2,259 | 14億1,000万人 |
| アメリカ | 10,837 | 3億2,200万人 |
| 日本 | 3,383 | 1億2,770万人 |

1人当たり水資源量はFAO(国連食糧農業機関)「AQUASTAT2003」より
人口はWHO(世界保健機関)人口統計2018より

## 人口増が水不足を加速化

　人間が生活用水、農業、工業、発電などに必要とする水の量は、最低でも年間1人当たり1700㎥とされています。これを下回る状態が「水ストレス」です。さらに1000㎥を下回ると「水不足」、500㎥を下回ると「絶対的な水不足」の状態を表します。

　左ページ下のグラフは、人口1人当たりが年間に使える水資源量を国別に表したものです。トップのカナダでは、1人9万

㎥以上も水が使えるのに対し、同じくらいの面積をもつ中国では2,259㎥しか使えません。なにしろ中国の人口は、カナダの約40倍にして世界最大。これ以上、人口が増えると、水が足りなくなるのは明白です。

　中国に次いで世界第2位の人口を抱えるインドでは、干ばつや地下水の枯渇により、すでに6億人が水不足に陥っています。

　経済協力開発機構（OECD）は、2050年には世界中で約40億人が、水ストレスにさらされると警鐘を鳴らしています。

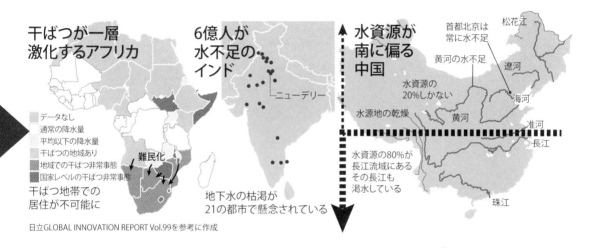

干ばつが一層
激化するアフリカ

6億人が
水不足の
インド

水資源が
南に偏る
中国

首都北京は
常に水不足

松花江

黄河の水不足

遼河

水資源の
20%しかない

海河

水源地の乾燥

黄河

淮河

長江

珠江

　データなし
　通常の降水量
　平均以下の降水量
　干ばつの地域あり
　地域での干ばつ非常事態
　国家レベルの干ばつ非常事態

難民化

干ばつ地帯での
居住が不可能に

ニューデリー

地下水の枯渇が
21の都市で懸念されている

水資源の80%が
長江流域にある
その長江も
渇水している

日立GLOBAL INNOVATION REPORT Vol.99を参考に作成

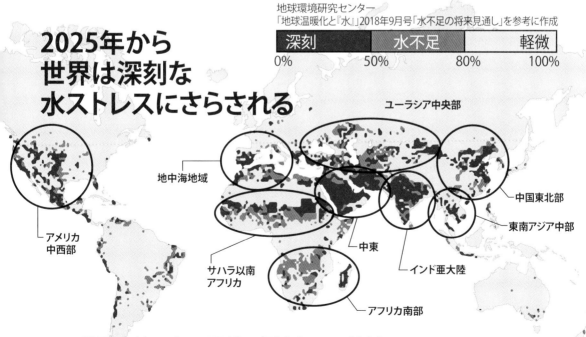

地球環境研究センター
「地球温暖化と『水』」2018年9月号「水不足の将来見通し」を参考に作成

| 深刻 | 水不足 | 軽微 |
|---|---|---|
| 0%　　　　　　　50%　　　　　　80%　　　　100% | | |

# 2025年から
# 世界は深刻な
# 水ストレスにさらされる

ユーラシア中央部

地中海地域

中国東北部

東南アジア中部

アメリカ
中西部

中東

インド亜大陸

サハラ以南
アフリカ

アフリカ南部

## 世界で特に水不足が予測される9地域

# CO₂の2大排出国
# アメリカと中国の水不足

## アメリカの地下水が枯渇

2050年を待たずして、水不足に陥る可能性があるのは、意外にもアメリカです。もともとアメリカの内陸部では、干ばつが珍しくなく、特に21世紀になってから、発生頻度が多くなっています。例えば、カ

リフォルニア州は、2011年から2017年まで、連続して記録的な干ばつに襲われ、山火事もたびたび発生しました。

干ばつの原因は、温暖化による大気の変動とみられていますが、アメリカの水不足に拍車をかけているのは、地下水の過剰なくみ上げです。農業用に地下から大量の水

## アメリカはこの20年間干ばつに悩まされている

丸い耕作地は、円形に散布されるセンターピボット方式の特徴

**センターピボットの灌漑方式**
世界の穀倉地帯の中西部は、降雨量の少なさを地下水に頼ってきた。世界最大のオガララ帯水層だ。何万年もかけて蓄えられた地下水の枯渇が予測されている

地下水をポンプで　回転する
くみ上げる　　畑
地下水の水域が低下　　1000メートルのところもある
帯水層

特に深刻なのが
中西部の農業地帯

**地下水レベルの変動**
低下値(フィート)
■ −150未満
■ −150〜−100未満
■ −100〜−50未満
□ −50〜−25未満
□ −25〜−10未満
□ −10〜−5未満
□ 変化なし
増加値
□ +5超〜+10
■ +10超〜+25
■ +25超〜+50
■ 50超

Climate.gov 2019.2.19
記事を参考に作成

下の地図は2005年から2018年までの、干ばつ発生地域を重ねたもの。アメリカ全土に干ばつが広がっていることがわかる

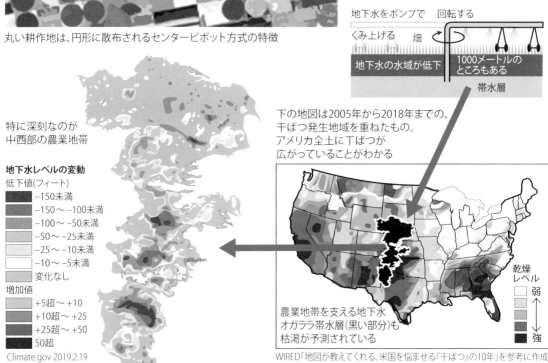

農業地帯を支える地下水
オガララ帯水層(黒い部分)も
枯渇が予測されている

乾燥
レベル
□ 弱
↑
↓
■ 強

WIRED「地図が教えてくれる、米国を悩ませる『干ばつ』の10年」を参考に作成

をポンプでくみ上げ続けてきた結果、世界屈指の地下水層、オガララ帯水層の水位が下がり、枯渇の危機にさらされています。

## 水問題が山積する中国

中国もまた、水不足の危機に瀕しています。中国は、世界中の淡水の6％しかない水を、世界の20％を占める人口で分け合っています。しかも、雨が多く降るのは南部に集中し、首都北京のある北部は、慢性的に水が不足しています。さらに温暖化によっ

て、水の循環が崩れ、河川の水量が今後減少していく可能性も指摘されています。

しかし、中国の水問題の最大の原因は、近年の急速な経済成長にあります。工場排水による水質汚染、過剰な水のくみ上げ、無謀なダム建設などにより、黄河の下流は干上がりつつあるほどです。

アメリカも中国も、水不足を助長しているのは、人為的原因です。そして、この2国だけで世界の$CO_2$の4割以上を排出していることが、問題の根を深くしています。

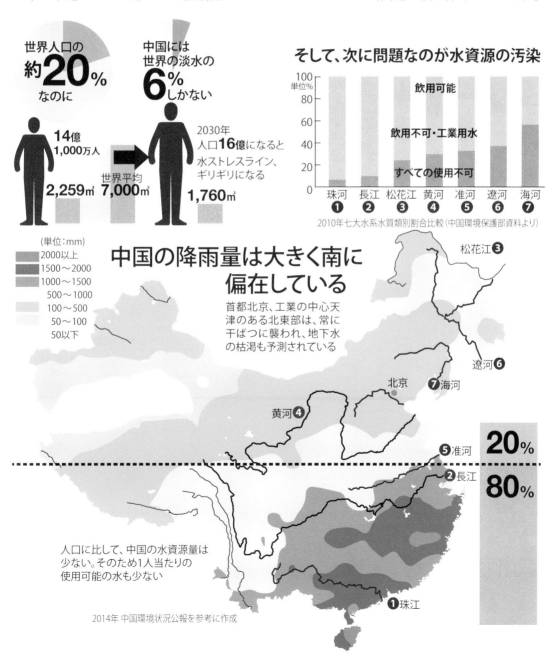

世界人口の約**20**％なのに

中国には世界の淡水の**6**％しかない

**14億1,000万人**

世界平均 **7,000㎥**

**2,259㎥**

2030年人口**16億**になると水ストレスライン、ギリギリになる

**1,760㎥**

そして、次に問題なのが水資源の汚染

単位％

飲用可能

飲用不可・工業用水

すべての使用不可

珠河❶ 長江❷ 松花江❸ 黄河❹ 准河❺ 遼河❻ 海河❼

2010年七大水系水質類別割合比較（中国環境保護部資料より）

（単位：mm）
2000以上
1500〜2000
1000〜1500
500〜1000
100〜500
50〜100
50以下

# 中国の降雨量は大きく南に偏在している

首都北京、工業の中心天津のある北東部は、常に干ばつに襲われ、地下水の枯渇も予測されている

松花江❸

遼河❻

北京

❼海河

黄河❹

❺准河 **20**％

❷長江 **80**％

人口に比して、中国の水資源量は少ない。そのため1人当たりの使用可能の水も少ない

❶珠江

2014年 中国環境状況公報を参考に作成

51

# 世界農業への影響と食料輸入大国日本の問題

## 気温上昇で収穫量が減少

温暖化は、自然を相手にする農業を直撃します。特に心配されているのが、主食となる穀物の生産地への影響です。すでに、アメリカ、インド、中国などの主要な穀物生産地では、干ばつや地下水の枯渇などによって、生産量が大幅に減り、農業に大きな打撃を与えています。

アメリカのスタンフォード大学が、過去のデータを精査したところ、気温が平均より2℃上がると、小麦の生育期間が9日短くなり、収穫量が2割減っていたことが明らかになりました。生育期の終盤に適正温

## 温暖化による世界の農業被害地図

小麦

世界の
主要3大産地が
被害に

3つの地図は、日本の農研機構が作成した、過去27年間に温暖化が農業生産に与えた被害度を示したもの

トウモロコシ

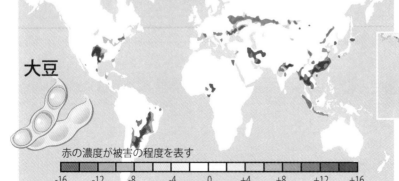

大豆

赤の濃度が被害の程度を表す

-16　-12　-8　-4　0　+4　+8　+12　+16

### 小麦の将来被害予測
米スタンフォード大学のチームが衛星データを使い、小麦生育への高温の影響を予測した

気温が2度上昇すると

| 小麦 | 20%OFF |
|---|---|

2割減産する
AFP記事(2012.1.30)記事より

### トウモロコシの将来被害予測
生産量世界1位のアメリカの影響が大きい

| | 気温2℃上昇 | 気温4℃上昇 |
|---|---|---|
| アメリカ | -17.8% | -46.5% |
| 中国 | -10.4% | -27.4% |
| ブラジル | -7.9% | -19.4% |
| アルゼンチン | -11.6% | -28.5% |

inside climate news(2018.6.11)記事より

### 大豆の将来被害予測
やはり生産量世界一のアメリカの減産が予想される

今世紀末には、気温が1.8℃上昇しても、現在の生産地では減産が予想されている(地図上の赤色の地域)
農研機構レポートより

度を超えてしまうと、植物の光合成がうまくいかず、生育不良になってしまうのです。

## 食料輸入に頼る日本の問題

　世界の食料生産地が危機に瀕すれば、日本も影響を受けます。下のグラフに見るように、日本は食料自給率が4割に満たず、食料の多くを輸入に頼っています。

　食料を生産するためには、多くの水を必要とします。食料を輸入することは、生産地で使われた水も輸入していることになります。この見えない水を、わかりやすく示したのが、「バーチャルウォーター（仮想水）」です。これは、もし同じものを自国でつくっていたら、どれだけの水が必要になるかを数字で表したもので、日本が輸入するバーチャルウォーターは、年間約800億㎥にも及びます。日本は、それだけの水を、他国に頼っているともいえるのです。

　日本が食料を輸入している国々で、温暖化による水不足と作物不良が進めば、日本の食卓は大きな変化を強いられるでしょう。

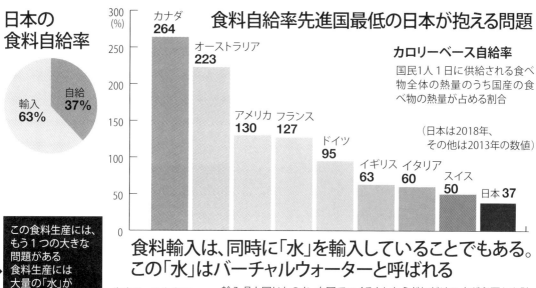

### 日本の食料自給率

- 輸入 63%
- 自給 37%

### 食料自給率先進国最低の日本が抱える問題

カナダ **264**
オーストラリア **223**
アメリカ **130**
フランス **127**
ドイツ **95**
イギリス **63**
イタリア **60**
スイス **50**
日本 **37**

**カロリーベース自給率**
国民1人1日に供給される食べ物全体の熱量のうち国産の食べ物の熱量が占める割合

（日本は2018年、その他は2013年の数値）

この食料生産には、もう1つの大きな問題がある
食料生産には大量の「水」が使われている

### 食料輸入は、同時に「水」を輸入していることでもある。この「水」はバーチャルウォーターと呼ばれる

輸入品と同じものを、自国でつくるとしたらどれだけの水が必要かを計算したもの。日本は世界有数のバーチャルウォーター輸入国であり、温暖化で輸入国の水不足の影響を、大きく受けると予測される

牛肉1kgの生産に使われる水の量は **15,415**リットル

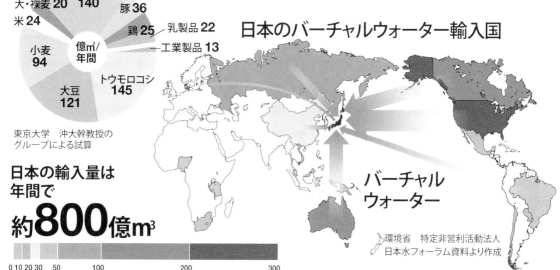

- 大・裸麦 20
- 米 24
- 牛 140
- 豚 36
- 鶏 25
- 乳製品 22
- 工業製品 13
- 小麦 94
- 億㎥/年間
- 大豆 121
- トウモロコシ 145

東京大学　沖大幹教授のグループによる試算

### 日本のバーチャルウォーター輸入国

バーチャルウォーター

環境省　特定非営利活動法人日本水フォーラム資料より作成

日本の輸入量は年間で

## 約**800**億m³

0 10 20 30　50　100　200　300

# 氷床が溶けて海面が上昇し
# 世界の都市が水没する

## 溶け出した北極圏の氷床

　日本の宇宙航空研究開発機構（JAXA）は、2012年5月に水循環変動観測衛星「しずく」を打ち上げ、地球上の水の循環を観測しています。観測を始めて間もない同年7月12日、「しずく」は、北極圏のグリーンランドの氷床が、ほぼ全域にわたって温度が上昇していることをとらえました。通常なら、夏も凍結している内陸部まで、表面が溶けている状態が、観測されたのです。

　じつはこのとき、北極圏は異例の高温が続いていました。この年に氷床から流れ出した水だけで、地球の海面を1mm以上、上昇させたのです。グリーンランドの氷床は、温暖化によって急速に溶け出しています。面積約173万km²、平均の厚さ1500mもある氷床が、すべて溶けると、海面は7mも上昇すると試算されています。

## 海面上昇で大都市が浸水

　グリーンランドだけでなく、南極の氷床、高地の氷河も、温暖化によって溶け出し、海面を上昇させています。世界平均の海面水位は、1年当たり3mm前後上昇しており、21世紀中には、最低でも26cm、最高98cmも上昇すると予測されています。

　海面が上昇すると、海抜の低い小さな島々は、水没の危機にさらされます。また、東京やニューヨーク、上海など、世界の主要都市の多くは、海に面しているため、浸水被害によって多くの人々が移住を余儀なくされる可能性があるのです。

### 日本の水環境変動観測衛星「しずく」が、グリーンランドの氷床溶融を確認した

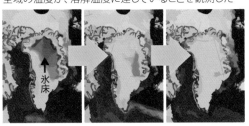

2012年の夏に「しずく」は、グリーンランドの氷床表面の全域の温度が、溶解温度に達していることを観測した

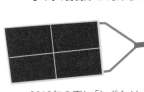

氷床

濃い緑の部分が氷床。7月10日（左）にあった氷床が2日後（右）には消えた。JAXAホームページより

### もし、このグリーンランドの氷床のすべてが溶けたなら、世界の海面は7m上昇するという研究報告がある

### 北極圏の温度は他と比べ、2倍以上の速さで上昇している

世界平均
北極圏
北半球中緯度
赤道付近

### そして、シベリアの永久凍土も溶けている

北半球の面積の20%を占める永久凍土（青い部分）が溶けている。土中のメタンガスが大気に放出され、温暖化を促進

ニューヨーク

New York City

世界の海面上昇と都市の
水没をシミュレーションで
きるサイトが開設されてい
る。7m海面が上昇した世
界をのぞいてみよう

http://flood.firetree.net/

Nederland

オランダ
周辺

もし世界の
海面が
7m
上昇したら

東京・首都圏

Tokyo

Shanghai

上海

Cairo

カイロ

Jakarta

ジャカルタ

New Orleans

ニューオーリンズ

55

# 地球の生態系が激変し
# 多くの動植物が絶滅する

## 生物は北へ、高地へと移動

　温暖化は、地球上のあらゆる生物に影響を与えます。近年、桜の開花時期やツバメの飛来時期が、以前より早まっているのも、温暖化が進行している証拠です。

　このまま気温上昇が続くと、生物界にどのようなことが起きるでしょう？　まず考えられるのは、生物の分布が変わってしまうことです。動物は、適応できる気候を求めて、北へと移動します。植物も、低地から高地へと、生育地がずれていきます。移動できない樹木は、気候の変化に適応できず、姿を消してしまうかもしれません。

## 温暖化で生物圏は北に移動する

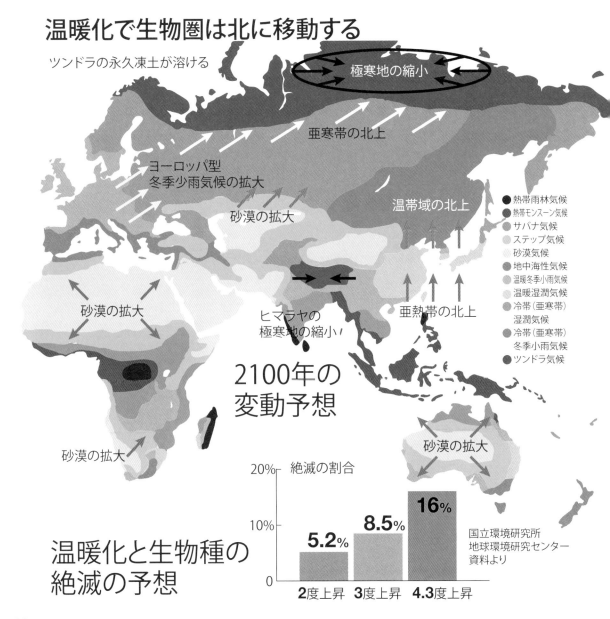

ツンドラの永久凍土が溶ける

極寒地の縮小

亜寒帯の北上

ヨーロッパ型
冬季少雨気候の拡大

砂漠の拡大

温帯域の北上

砂漠の拡大

ヒマラヤの
極寒地の縮小

亜熱帯の北上

砂漠の拡大

2100年の
変動予想

砂漠の拡大

- ● 熱帯雨林気候
- ● 熱帯モンスーン気候
- ● サバナ気候
- ● ステップ気候
- ● 砂漠気候
- ● 地中海性気候
- ● 温暖冬季少雨気候
- ● 温暖湿潤気候
- ● 冷帯（亜寒帯）湿潤気候
- ● 冷帯（亜寒帯）冬季少雨気候
- ● ツンドラ気候

## 温暖化と生物種の絶滅の予想

絶滅の割合

20%

**5.2%** 2度上昇
**8.5%** 3度上昇
**16%** 4.3度上昇

10%

0

国立環境研究所
地球環境研究センター
資料より

## 生物の2〜3割が絶滅

世界の平均気温が1.5〜2.5℃上がると、生物の20〜30％が絶滅の危機にさらされると予測されています。

その一例が、北極の海氷の上で狩りをするホッキョクグマです。温暖化のため、氷がない期間が長くなり、獲物がとれずに衰弱するクマが増えています。このまま温暖化が続くと、21世紀中頃までには、3分の1に減ってしまうともいわれています。

同様に、アフリカゾウやコアラは、干ばつによる水不足によって、アオウミガメやシロナガスクジラは、水温の上昇や海水に溶けこむCO₂の増加などによって、種の存続が脅かされる可能性があります。ひとつの種が失われれば、食物連鎖が崩れ、生態系全体に影響を及ぼしかねません。

ただ、生物の絶滅は、気候変動だけで起こるものではなく、人間による自然破壊や乱獲、外来種の持ちこみなども原因となることを忘れてはならないでしょう。

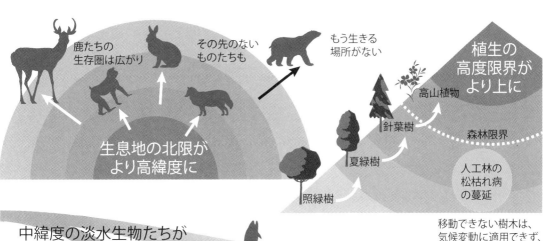

鹿たちの生存圏は広がり

その先のないものたちも

もう生きる場所がない

生息地の北限がより高緯度に

植生の高度限界がより上に

高山植物

針葉樹

森林限界

夏緑樹

照緑樹

人工林の松枯れ病の蔓延

移動できない樹木は、気候変動に適用できず、種としての危機が

中緯度の淡水生物たちが大きな影響を受ける

**淡水魚への影響**
冷淡水魚の生息できる河川が、現在の20%にまで減少することが予想されている。そのため多くの種の絶滅が危惧される

湿地に生きる**鳥類**の**44%**の種に減少の危機がある

渡り鳥にとり中継地、越冬地の消失は深刻な打撃

湿地の乾燥と消失

淡水性**カメ**約200種のうち**100種**に絶滅の危機

**両生類**の**30%**に絶滅の危機

湖沼の水温の上昇

ワニの23種中**10種**に絶滅の危機

海水の温度上昇と酸性化

**マングローブ林**

珊瑚

亜熱帯性珊瑚は共生する藻類が死滅すると、共に白化し死滅する

熱帯マングローブ林の減少生物多様性の危機

# 動物と水が媒介する
# 感染症の勢力が拡大

## 感染症を運ぶ生物が北上

2020年6月現在、世界中で猛威を奮う新型コロナウイルスと温暖化の関係は、まだわかっていません。しかし、温暖化によって、ウイルスを運ぶ生物の分布が変わると、人間と接触する機会が増えて、感染症が拡大しやすくなる、と指摘されています。

温暖化によって生息地を広げる可能性があるのが、マラリア、デング熱、日本脳炎などの媒介となる蚊の仲間です。

ユニセフの報告によると、2018年にマラリアで亡くなった5歳未満の子どもは、全世界で約26万人にものぼります。その

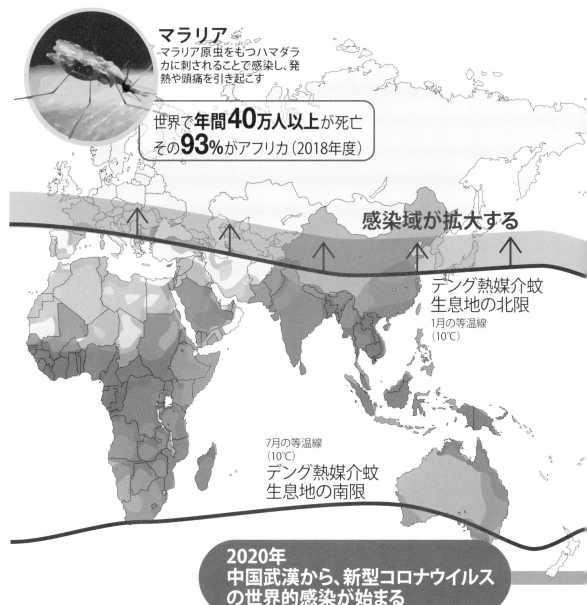

マラリア
マラリア原虫をもつハマダラカに刺されることで感染し、発熱や頭痛を引き起こす

世界で**年間40万人以上**が死亡
その**93%**がアフリカ（2018年度）

感染域が拡大する

デング熱媒介蚊
生息地の北限
1月の等温線
（10℃）

7月の等温線
（10℃）
デング熱媒介蚊
生息地の南限

2020年
中国武漢から、新型コロナウイルスの世界的感染が始まる

多くは、上下水道が整備されていないアフリカの子どもたちです。マラリアは、よどんだ水に発生するハマダラカが媒介となって発症します。日本でも過去に発生したことがありますが、衛生状態や住環境がよくなったため、現在は発生していません。しかし、温暖化によって気温が上昇すれば、再び流行する可能性もあるといわれています。

また、デング熱を媒介するヒトスジシマカは、日本でも生息が確認されており、しかも分布域が北上しています。

## 水からうつる感染症も拡大

感染症には、水を介して人間にうつるものもあります。代表的なのが、コレラ菌で汚染された水を飲むことで発症するコレラです。現在は、安全な水が少ないアフリカやインドなどで多く発生していますが、温暖化によって水温が上がると、さらに感染地域が広がる可能性があります。また、高温が続くと体力が落ち、感染症によって亡くなる人が増えることも懸念されています。

### デング熱
ネッタイシマカやヒトスジシマカが媒介。重症化するとデング出血熱を発症する

世界で**年間推定1億人**が感染
都市部を中心に全世界で急増

## 水の汚染の拡大が広げる
### ──感 染 症──

### コレラ
コレラ菌に汚染された水などから感染。温暖化によって海水温が上がると、コレラ菌が増加する

### 腸チフス
チフス菌に汚染された水などから感染。アジア、中南米、アフリカなどで蔓延

### 赤痢
赤痢菌に汚染された水などから感染。インド、インドネシアなどアジア地域に多い

不潔な環境で下痢などで、1日に1,600人の途上国の子どもたちが命を落としている

## 気温が**1**℃上昇
するだけで拡大する
### マラリア感染地域と

リスク小　　　　　リスク大

### デング熱感染地域

発生リスクあり　　　発生あり

このコロナウイルスの流行と、気候変動の関連はまだ定かではない

しかし、霊長類学者ジェーン・グドール博士は、このパンデミックは、地球の気候変動を招いた人類の自然と野生動物に対する軽視に起因すると訴えている

# 氷の溶ける北極海で
# 資源と航路の争奪戦が始まる

## 輸送を短縮する北極海航路

温暖化によって、北極の氷が溶けることが懸念されていますが、その一方で、これを利用しようとする動きもあります。

そのひとつが、「北極海航路」と呼ばれる船のルートです。これまで東アジアとヨーロッパを結ぶ航路としては、エジプトのスエズ運河を通る南回りのルートが一般的でしたが、近年、北極海を通るルートに注目が集まっています。現在、カナダ側を通る「北西航路」とロシア側を通る「北東航路」の2つの航路があり、ロシア政府は北東航路を北極海航路と呼んでいます。

北極海航路は、1932年からソ連（のちにロシア）によって管理されてきましたが、行く手を氷に阻まれる難ルートで、あまり有効に利用されていませんでした。しかし、温暖化で海氷が減少したため、夏の一定期間の利用が可能になったのです。

このルートを使うと、南回りより航行距離が4割ほど短くなり、燃料費も安くなるため、日本をはじめとする各国が、すでに利用を始めています。

## 北極海に眠る天然資源

北極海が注目を集める理由はもうひとつあります。アメリカ地質調査所によると、世界中の未発見の石油や天然ガスの22％は、北極海にあるというのです。

そのため、ロシア、カナダ、アメリカ、デンマーク、ノルウェーなどの周辺国が、天然資源の利権をめぐって、かけ引きを繰

り広げています。さらに中国も、北極海に眠る資源を開発し、北極海航路で輸送する構想を抱いて動き出しています。

にわかに始まった北極海争奪戦ですが、$CO_2$排出によって引き起こされた温暖化のおかげで、$CO_2$を排出する化石燃料が新たに発掘されるとは、なんとも皮肉な話です。

## グリーンランドは、地下資源のためにデンマークからの独立を望む

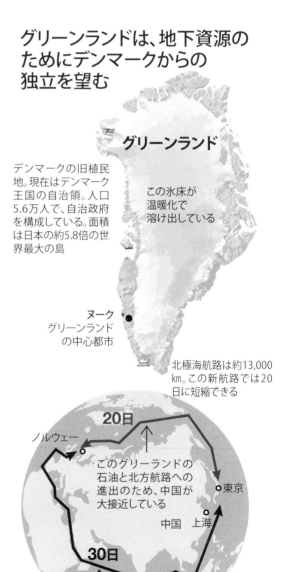

**グリーンランド**

デンマークの旧植民地。現在はデンマーク王国の自治領。人口5.6万人で、自治政府を構成している。面積は日本の約5.8倍の世界最大の島

この氷床が温暖化で溶け出している

ヌーク
グリーンランドの中心都市

北極海航路は約13,000km。この新航路では20日に短縮できる

20日

ノルウェー

このグリーランドの石油と北方航路への進出のため、中国が大接近している

東京

中国　上海

30日

現在の航路は約21,000km。マラッカ海峡を通り、スエズ運河を抜けてヨーロッパまで30日かかる

# 北極海は新たな
# フロンティアになった

アメリカは
グリーンランドを
買ってもいいぞ

ロシアは温暖化は
大歓迎。
無人の凍土が
宝の山になる

トランプ
米大統領は
突然言った

ロシアの
プーチン
大統領は
大喜び

日本・中国へ
ベーリング海峡

アラスカ
(アメリカ)

ロシア

カナダ

北極点

グリーンランド

北西航路

北極海

カナダの
ドルドー首相は

このルートは
カナダの領海
だから勝手に
通ってもらって
は困る

北東航路

フィンランド

石油・天然ガス資源埋蔵

ノルウェー　　スウェーデン

世界の未発見の
石油・天然ガス資源の
**22**%が、
この北極海にあると
いわれている

ロシアは地下資源
開発体制を整えた

ロシア
ガスプロム社

アメリカ
エクソン・
モービル

イタリア
ENI社
(炭化水素
関連会社)

# Part 3
## 始まった気候の大変動
### ⑯

# 気候変動と南北問題
# 北のCO₂で南が被害を受ける

## 圧倒的に多い先進国のCO₂

気候変動（きこうへんどう）は、全世界に影響を与える問題であり、すべての国にCO₂をはじめとする温室効果ガス（おんしつこうかガス）の削減（さくげん）が求められています。しかし、すべての国が同じようにCO₂を排出（はいしゅつ）しているわけではありません。

下のグラフは、世界のCO₂排出量の推移（すいい）を示したものです。18世紀後半の産業革命を機に増え始め、1950年代から急速に伸びていることがわかります。排出国の内訳をみると、圧倒的に多いのが、経済協力開発機構（きこう）（OECD）に加盟する北米・欧州・日本などの先進国です。近年では、中国と

先進国はきれいごとを言うな

気候変動は世界共通の問題です。すべての国が力を合わせてCO₂を削減しましょう

CO₂は先進国が出したものだ

自分の責任を途上国に押しつけるな

国が海に沈むのは、誰のせいだ

私たちだって、豊かになる権利がある

私たちに、経済成長するなというのか

IPCC

中国経済 GDP世界2位に

インドの経済成長

中国の経済成長

中進国の経済拡大

日本の高度経済成長 公害と省エネ

エネルギー革命 石炭から石油の時代

アメリカ 巨大鉄鋼産業勃興

アメリカ ガソリンエンジン誕生 自動車の時代始まる

イギリスの産業革命 石炭火力による蒸気機関誕生

この150年間の世界のCO₂排出量と排出元の変化

OECD加盟国(1990年時点)
移行経済国(旧ソ連圏など)
アジア
中南米
中東・アフリカ

IPCC第5次評価報告書から作成

35
30
25
20
15
10
5
ギガトン(単位Gt/年)

1750　1800　1850　1900　1950　2000年

62

インドのめざましい発展によって、アジアの排出量も増大しています。

もうひとつのグラフで、人口1人当たりのCO₂排出量を見ても、アメリカを筆頭に、やはり先進国の排出量が多くなっています。

## 温暖化の被害を受ける途上国

一方、途上国のCO₂排出量は、世界全体の2割ほどにすぎないといわれています。にもかかわらず、干ばつによる水不足、海面上昇による洪水や浸水など、温暖化によって深刻な被害をすでに受けているのは、主に途上国です。

一般に先進国は北、途上国は南に位置するため、両者の経済格差は「南北問題」と呼ばれますが、気候変動という全世界的な問題においても、北の先進国が排出したCO₂で、南の途上国が被害を受ける、という南北問題が生じています。また、気温上昇によって、将来、農耕地や漁場が北に移動することが予想されていますが、それによって恩恵を受けるのも、北方の国々なのです。

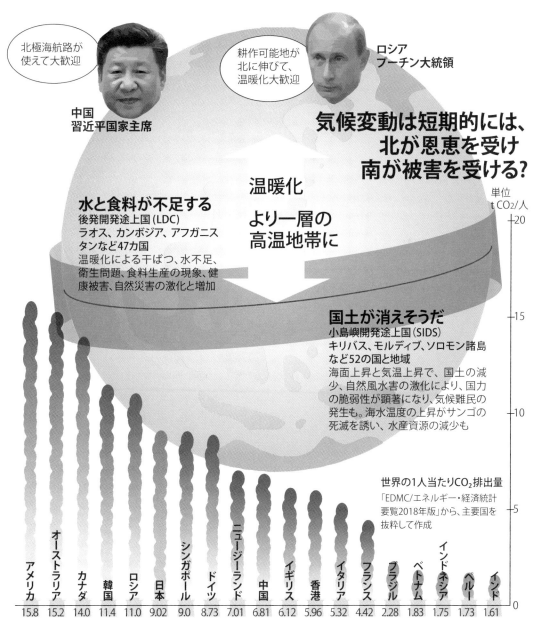

北極海航路が使えて大歓迎

中国
習近平国家主席

耕作可能地が北に伸びて、温暖化大歓迎

ロシア
プーチン大統領

**気候変動は短期的には、北が恩恵を受け南が被害を受ける?**

温暖化
より一層の
高温地帯に

**水と食料が不足する**
後発開発途上国（LDC）
ラオス、カンボジア、アフガニスタンなど47カ国
温暖化による干ばつ、水不足、衛生問題、食料生産の現象、健康被害、自然災害の激化と増加

**国土が消えそうだ**
小島嶼開発途上国（SIDS）
キリバス、モルディブ、ソロモン諸島など52の国と地域
海面上昇と気温上昇で、国土の減少、自然風水害の激化により、国力の脆弱性が顕著になり、気候難民の発生も。海水温度の上昇がサンゴの死滅を誘い、水産資源の減少も

世界の1人当たりCO₂排出量
「EDMC/エネルギー・経済統計要覧2018年版」から、主要国を抜粋して作成

単位 t CO₂/人

| 国 | 排出量 |
|---|---|
| アメリカ | 15.8 |
| オーストラリア | 15.2 |
| カナダ | 14.0 |
| 韓国 | 11.4 |
| ロシア | 11.0 |
| 日本 | 9.02 |
| シンガポール | 9.0 |
| ドイツ | 8.73 |
| ニュージーランド | 7.01 |
| 中国 | 6.81 |
| イギリス | 6.12 |
| 香港 | 5.96 |
| イタリア | 5.32 |
| フランス | 4.42 |
| ブラジル | 2.28 |
| ベトナム | 1.83 |
| インドネシア | 1.75 |
| ペルー | 1.73 |
| インド | 1.61 |

（単位 t CO₂/人）

# 気候変動が新たに生み出す
# 「気候難民」が1億人を超える

## 水没する島からのSOS

2020年1月、国連は、気候変動を理由とする難民申請を認める見解を初めて下しました。そのきっかけとなったのは、2015年にキリバスの住民が、ニュージーランドへの移住を申請し、却下されたことでした。

キリバスは、太平洋上の小さな島々からなる国です。海抜が低いため、温暖化による海面上昇が進み、人々の生活が脅かされています。結局、住民の難民申請は、命にかかわる事態ではないとして認められませんでしたが、この出来事により、「気候難民」に世界が目を向けるようになりました。

もしこのまま、温暖化が進行し気候の変動が極端化したら

**1億4,300万人**の
気候難民が生まれる
（世界銀行の予測）

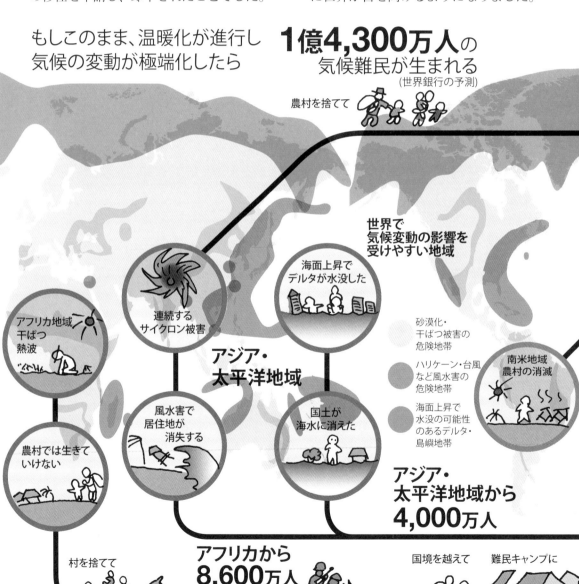

農村を捨てて

世界で
気候変動の影響を
受けやすい地域

連続する
サイクロン被害

海面上昇で
デルタが水没した

アフリカ地域
干ばつ
熱波

アジア・
太平洋地域

砂漠化・
干ばつ被害の
危険地帯

ハリケーン・台風
など風水害の
危険地帯

海面上昇で
水没の可能性
のあるデルタ・
島嶼地帯

南米地域
農村の消滅

農村では生きて
いけない

風水害で
居住地が
消失する

国土が
海水に消えた

アジア・
太平洋地域から
**4,000万人**

村を捨てて

**アフリカから
8,600万人**

政府・テロ組織の暴力から逃れ

国境を越えて　難民キャンプに

## 急がれる気候難民の受け入れ

　キリバスだけでなく、ツバル、モルディブなどの島国も、海面上昇が進み、このままでは島のほとんどが水没し、人が住めなくなってしまうといわれています。また、干ばつによる水不足や食料不足、暴風雨による洪水などによって、避難や移住を強いられている人も少なくありません。

　途上国の経済支援にあたる世界銀行は、2050年までに1億4,300万人の気候難民が生まれる、と警告しています。その内訳は、干ばつが続くサハラ以南アフリカが8,600万人、自然災害が多い南アジアが4,000万人、農作物の不作に悩む中南米が1,700万人と試算されています。

　これだけ多くの人々が、国境を越えて移動するとなると、国際的な支援や受け入れ国の態勢づくりが不可欠です。しかし、難民化の背景には、気候変動だけでなく、貧困や紛争、迫害などが絡んでいることが多く、慎重な対応が求められています。

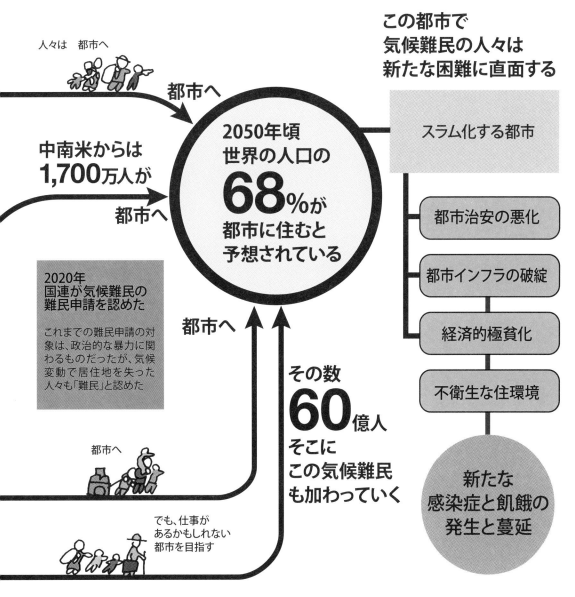

人々は　都市へ

都市へ

中南米からは
1,700万人が

都市へ

2050年頃
世界の人口の
**68%**が
都市に住むと
予想されている

2020年
国連が気候難民の
難民申請を認めた

これまでの難民申請の対象は、政治的な暴力に関わるものだったが、気候変動で居住地を失った人々も「難民」と認めた

都市へ

都市へ

でも、仕事があるかもしれない都市を目指す

その数
**60**億人
そこに
この気候難民
も加わっていく

この都市で
気候難民の人々は
新たな困難に直面する

スラム化する都市

都市治安の悪化

都市インフラの破綻

経済的極貧化

不衛生な住環境

新たな
感染症と飢餓の
発生と蔓延

# 世界の水をめぐる争いに油を注ぐ気候変動

## メコン川を牛耳る中国

20世紀が石油争いの時代なら、21世紀は水をめぐる争いの時代になる、といわれています。気候変動（きこうへんどう）によって、水不足が深刻化し、水はいまや貴重な資源なのです。

下に示したのは、代表的な水争いの例で す。特に近年、問題になっているのは、メコン川をめぐる中国と下流国との対立です。メコン川上流に位置する中国は、水力発電のために巨大なダムを次々に建設しています。そのため、川の水がせき止められて、下流の水が減少したり、反対に、ダムの放水（ほうすい）によって、下流で洪水が起きたりし

メコン上流から襲ってくる、
東南アジアの「水」戦争の予感
中国 vs ベトナム、タイ、ラオス、カンボジア

雲南小湾ダムは高さ約300m、発電量188億kw。2004年にメコン川上流をせき止めた

中国は上流からメコン川を支配しようとしている

メコン川委員会
タイ・ラオス・カンボジア・ベトナム＋アメリカは中国に抗議をしている

●雲南ダムの降雨時の放水で、しばしば洪水が発生。水位の上昇は漁業資源を押し流している!!

●渇水期には、雲南ダムの影響で、深刻な水位の低下が起こっている!!

●メコンデルタの水位が下がり、海水の流入によって、水田で塩害が発生。米の収穫に影響が出ている!!

中央アジアの水争いが
アラル海を消滅させようとしている
中央アジア諸国

旧ソ連邦の諸国は、ソ連崩壊後のシルダリア・アムダリア川の水利を巡って対立。その結果アラル海の枯渇が進んでいる

独立時の内乱から続く、
因縁の国境と「水」の争い
インド vs パキスタン

インドとパキスタンがイギリスから独立したときに、激しい内乱の末、両国は別の国家となった。そのときの国境紛争と水争いが現在まで続いている

て、メコン川に生活を支えられているラオス、ベトナム、タイ、カンボジアなどの流域国から非難（ひなん）の声があがっています。

メコン川流域は、ただでさえ異常気象（いじょうきしょう）による水不足に悩まされており、漁業や農業の衰退（すいたい）を招いています。ダム建設によって、事態はさらに悪化するのではないかと懸念（けねん）されています。

## 水戦争を仕掛けたイスラエル

一方、半世紀以上も前から水争いが続くのは、イスラエルとパレスチナです。1967年の第3次中東戦争で、イスラエルは水資源の豊富なヨルダン川西岸とゴラン高原を占領。以来、先住のパレスチナ人は、水の使用を厳しく制限され、イスラエルの3分の1しか分配されていません。

そのうえ気候変動によって、降水量が減り、ヨルダン川の水が減少しています。パレスチナ問題は、もともと宗教や民族の対立から始まったものですが、不平等な水の分配が、さらに対立を深めています。

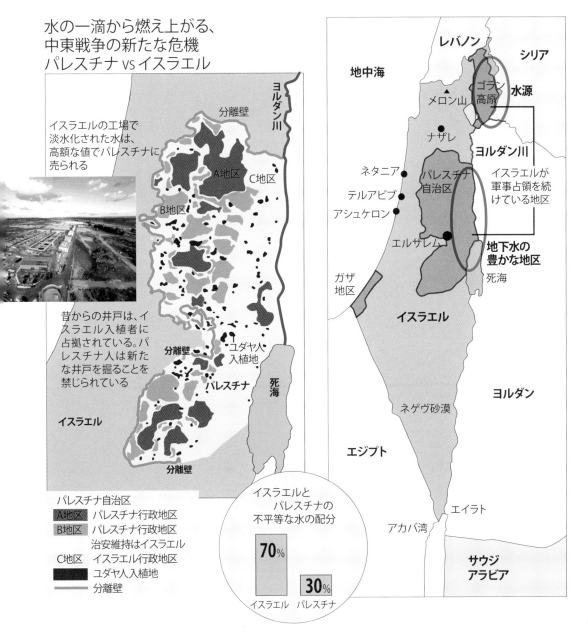

### 水の一滴から燃え上がる、中東戦争の新たな危機 パレスチナ vs イスラエル

イスラエルの工場で淡水化された水は、高額な値でパレスチナに売られる

A地区　C地区　B地区　分離壁　ヨルダン川

昔からの井戸は、イスラエル入植者に占拠されている。パレスチナ人は新たな井戸を掘ることを禁じられている

分離壁　ユダヤ人入植地　パレスチナ　死海　イスラエル　分離壁

パレスチナ自治区
- **A地区** パレスチナ行政地区
- **B地区** パレスチナ行政地区 治安維持はイスラエル
- **C地区** イスラエル行政地区
- ■ ユダヤ人入植地
- ━ 分離壁

イスラエルとパレスチナの不平等な水の配分
**70%** イスラエル　**30%** パレスチナ

レバノン　シリア　地中海　ゴラン高原　水源　メロン山　ナザレ　ヨルダン川　ネタニア　パレスチナ自治区　イスラエルが軍事占領を続けている地区　テルアビブ　アシュケロン　エルサレム　地下水の豊かな地区　死海　ガザ地区　イスラエル　ヨルダン　ネゲヴ砂漠　エジプト　エイラト　アカバ湾　サウジアラビア

67

# 気候変動は世界経済に莫大な損失をもたらす

## 自然災害による経済損失

地球規模の気候変動は、さまざまな問題をもたらし、世界経済に大きな打撃を与えることが予想されています。すでに、目に見える形で表れているのが、自然災害による経済損失です。

右の地図は、1998年から2017年までの20年間に起きた自然災害による損失額を国別に示したものです。災害の種類は、地震を除くと、ほとんどが異常気象によって引き起こされたと考えられるもので、豪雨、洪水、干ばつ、森林火災、極端な気温（異常高温や異常低温）の順に多くなっています。20年間の被害総額は、地震を除いても、2兆ドル（約220兆円）以上。国別では、ハリケーンや森林火災が増えているアメリカ、洪水が相次ぐ中国、もともと自然災害の多い日本が、上位を占めています。

自然災害による経済損失は、1978年から1997年までの20年間に比べて倍に増えており、温暖化の進行によって、今後も増加していくものとみられています。

## 熱ストレスで生産性が低下

気候変動による経済損失は、自然災害によるものばかりではありません。国際労働機関は、2019年に発表された報告書のなかで、猛暑が人間の体に与える熱ストレスによって、労働生産性が低下する、と警告を発しています。報告書によると、気温の上昇を今世紀末までに1.5℃に抑えると想定した場合、2030年までに、世界全体の労働時間が2.2％損なわれ、失業者は8,000万人、経済損失は2兆4,000億ドル（約250兆円）にのぼるといいます。農業、建設業、輸送

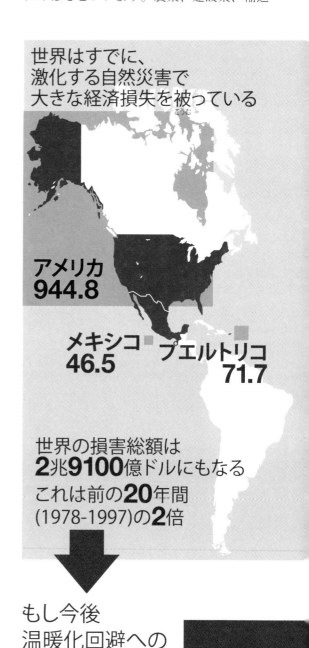

世界はすでに、激化する自然災害で大きな経済損失を被っている

アメリカ
944.8

メキシコ
46.5

プエルトリコ
71.7

世界の損害総額は
**2兆9100億**ドルにもなる
これは前の**20**年間
(1978-1997)の**2**倍

もし今後
温暖化回避への
有効な手が
打てなかったら

業、観光業など、屋外の作業を伴う業種は、特にリスクが高くなるでしょう。

　すでに多くの世界的企業は、気候変動によるリスクを想定し、回避の道を探っています。例えば、自然災害に備えて、国内外にある施設の防災を強化する、温暖化を抑制するために、エネルギーや輸送などを

$CO_2$を排出しない方法に切り替える、といった方法がありますが、いずれも新たな費用を投じなければなりません。

　気候変動による損失と、気候変動に対処するための費用を合わせると、企業は大きな負担を背負うことになり、世界経済に与える影響は計り知れません。

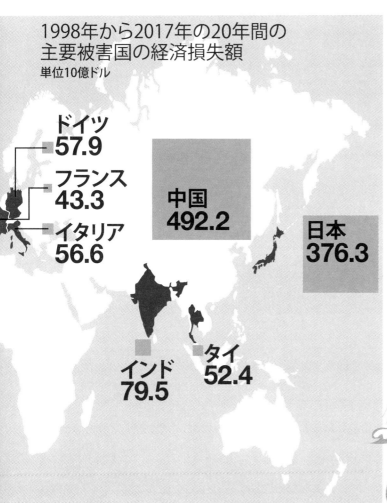

## 1998年から2017年の20年間の主要被害国の経済損失額
単位10億ドル

ドイツ **57.9**

フランス **43.3**

イタリア **56.6**

中国 **492.2**

日本 **376.3**

インド **79.5**

タイ **52.4**

国連報告　AFP記事を参考に作成

日本は世界有数の自然災害国
2019年の台風被害だけでも

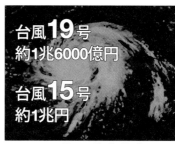

台風**19**号
約1兆6000億円

台風**15**号
約1兆円

合計 約**2**兆**6000**億円
もの被害が

世界の自然災害による
損失の内訳は

豪雨
1.33兆ドル

洪水
6560億ドル

地震
6610億ドル

干ばつ
1240億ドル

森林火災
680億ドル

極端な気候
610億ドル

2030年までに
世界全体で
**250**兆円の経済的損失が
生じると予想され
その先は、予測がつかない

Part 3

# Part 4
# いま人類にできること ①

# 持続可能な開発目標 SDGs が示す 気候変動への対策

## 世界が2030年までにすべきこと

国連（こくれん）に加盟する世界193カ国は、2015年に「持続可能な開発のための2030アジェ

| 目標1 | あらゆる場所であらゆる形態の貧困を終わらせる |
| --- | --- |
| 目標2 | 飢餓（きが）を終わらせ、食料の安定確保と栄養状態の改善を達成すると共に、持続可能な農業を推進する |
| 目標3 | あらゆる年齢のすべての人々の健康的な生活を確保し、福祉を推進する |
| 目標4 | すべての人々に包摂的（ほうせつてき）かつ公平で質の高い教育を提供し、生涯学習の機会を促進する |
| 目標5 | ジェンダーの平等を達成し、すべての女性と女児の能力強化（はか）を図る |
| 目標6 | すべての人々に水と衛生へのアクセスと持続可能な管理を確保する |
| 目標7 | すべての人々に手ごろで信頼でき、持続可能かつ近代的なエネルギーへのアクセスを確保する |

# 国連が2030年までに目指す

 1 貧困をなくそう
 2 飢餓をゼロに
 3 すべての人に健康と福祉を

 7 エネルギーをみんなにそしてクリーンに
8 働きがいも経済成長も
 9 産業と技術革新の基盤をつくろう

 13 気候変動に具体的な対策を
 14 海の豊かさを守ろう
 15 陸の豊かさも守ろう

| 目標8 | すべての人々のための持続的、包摂的かつ持続可能な経済成長、生産的な完全雇用および働きがいのある仕事を推進する |
| --- | --- |
| 目標9 | 強靭（きょうじん）なインフラを整備し、包摂的で持続可能な産業化を推進すると共に、イノベーションの拡大を図る |

ンダ（行動目標）を採択し、下に示した17の「持続可能な開発目標（SDGs）」を掲げて、2030年までの達成を目指しています。

このなかで目標13として示されているのが、気候変動への対策です。具体的には、気候変動の緩和（CO₂の削減など）と、気候変動への適応を目指し、次のようなターゲットが設けられています。

❶気候変動がもたらす災害や自然災害に対処する能力をすべての国々がもつ。

❷気候変動対策を国別の政策、戦略、計画に盛りこむ。

❸気候変動に対処するための教育、啓発、人的能力および制度機能を改善する。

このほか、途上国のために、緑の気候基金を本格的に始動させ、現地の能力開発を支援することも、ターゲットとして盛りこまれています。国連が示すこれらの目標に向けて、すでに世界各国が国境を超えて取り組みを始めています。

# 続可能な開発目標SDGs

| 目標12 | 持続可能な消費と生産のパターンを確保する |

| 目標13 | **気候変動とその影響に立ち向かうため、緊急対策をとる** |

| 目標14 | 海洋と海洋資源を持続可能な開発に向けて保全し、持続可能な形で利用する |

| 目標15 | 陸上生態系の保護、回復および持続可能な利用の推進、森林の持続可能な管理、砂漠化への対処、土地劣化の阻止・回復ならびに生物多様性の損失阻止を図る |

| 目標10 | 各国内および国家間の不平等を是正する |

| 目標11 | 都市と人間の居住地を包摂的、安全、強靭かつ持続可能にする |

| 目標16 | 持続可能な開発に向けて平和で包摂的な社会を推進し、すべての人々に司法へのアクセスを提供すると共に、あらゆるレベルにおいて効果的で責任ある包摂的な制度を構築する |

| 目標17 | 持続可能な開発に向けて実施手段を強化し、グローバル・パートナーシップを活性化する |

# 世界が温暖化対策に合意した 「パリ協定」までの歩み

## CO₂削減に向け世界が動く

地球温暖化に関する初の世界会議、フィラハ会議が開かれたのは1985年のこと。1988年には、「気候変動に関する政府間パネル（IPCC）」が設立され、科学的データに基づく報告書を発表して、その後の世界の政策に影響を与えるようになりました。

1992年には気候変動をもたらす温室効果ガスを削減することを目指して、「国連気候変動枠組条約」が採択され、1997年には、日本の京都で開かれた会議で「京都議定書」が交わされます。これは2020年までのCO₂削減目標を定めるための枠組

---

## 1960~1970年代は　地球寒冷化説が常識だった

地球は地軸の変化でよって

氷期に向かっている

TIME
THE BIG FREEZE

AREAS OF THE EARTH AFFECTED BY CLIMATIC CHANGE

「TIME」や「Newsweek」などの雑誌が大特集を組んでいた

科学的データの裏付けがない寒冷化説が常識化

### 1896年
地球の温暖化が
最初に指摘された

CO₂が
2倍になれば、
気温は
5~6℃上昇する

スヴァンテ・アレニウス
(1859-1927)
スウェーデンの化学者。
電解質の研究で
ノーベル化学賞を受賞。
晩年の研究で地球の
温暖化を指摘した

温暖化説を
無視し続けた

この時期は
環境汚染問題の研究で
CO₂の調査が
進んでいった

はじめて
温暖化が
注目された

### 1979年
全米科学アカデミー
チャーニー報告

21世紀には
CO₂が2倍になり、
気温が1.5~4.5℃
上昇する

---

## 1980年代中頃から　国連が　動きだす

世界気象機関
WMO

国連環境計画
UNEP

地球は
温暖化
している

### 1985年
フィラハ会議
世界最初の
温暖化学術会議

### 1988年
気候変動に関する
政府間パネル
**IPCC設立**

世界中の気象に
関する学術報告を
集約して評価する
専門家機関

JAPAN

みでした。しかし、対象となるのは先進国だけで、中国やインドなどの新興国は除外されていたため、アメリカが不参加を表明。CO₂排出量の多いアメリカや中国が加わらない条約は、見直しを迫られます。

## 万国参加のパリ協定

それまで気候変動対策といえば、CO₂の削減が中心でしたが、これを機に、すでに気候変動の影響を受けている途上国を支援することも対策のひとつであり、CO₂排出量の多い少ないにかかわらず、すべての国が参加すべきだという議論が高まります。

こうして、すべての国が参加する「パリ協定」が採択され、2016年に発効。気温上昇を産業革命前と比べて2℃未満、できれば1.5℃に抑えるという目標に向けて、世界が足並みをそろえました。しかし2017年、アメリカのトランプ大統領は、突如離脱を表明。これに反対する同国の複数の州政府は、ただちに「米国気候連盟」を結成し、パリ協定順守を表明しています。

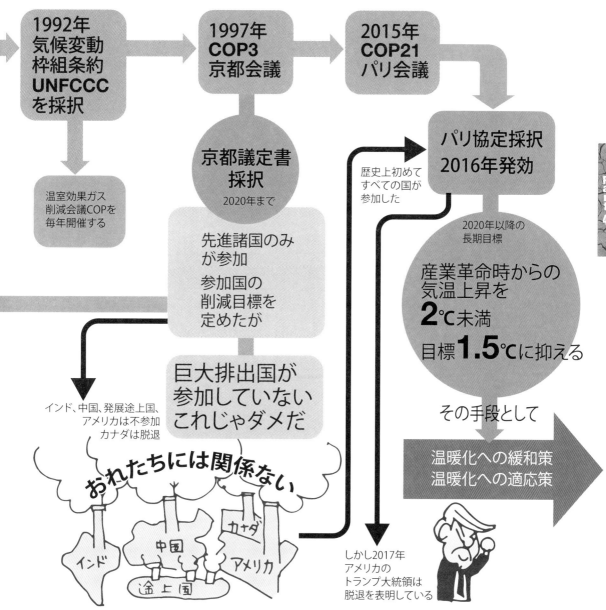

**1992年 気候変動枠組条約 UNFCCC を採択**

温室効果ガス削減会議COPを毎年開催する

**1997年 COP3 京都会議**

京都議定書採択

2020年まで

先進諸国のみが参加

参加国の削減目標を定めたが

インド、中国、発展途上国、アメリカは不参加 カナダは脱退

巨大排出国が参加していないこれじゃダメだ

おれたちには関係ない

インド　中国　カナダ　アメリカ　途上国

**2015年 COP21 パリ会議**

歴史上初めてすべての国が参加した

しかし2017年アメリカのトランプ大統領は脱退を表明している

**パリ協定採択 2016年発効**

2020年以降の長期目標

産業革命時からの気温上昇を **2℃未満** 目標 **1.5℃** に抑える

その手段として

温暖化への緩和策 温暖化への適応策

# 1.5℃目標を達成するために いま世界がすべきこと

## 温室効果ガスを減らす緩和策

　SDGsやパリ協定が目指す気候変動への取り組みは、すでに各国で始まっています。気候変動対策は、「緩和」と「適応」を2本柱とし、両方が補完し合うことで、より大きな効果が生じることが期待されています。

　気候変動の「緩和」とは、地球温暖化がこれ以上進まないように抑制することです。パリ協定は、地球の平均気温の上昇を、「産業革命以前と比べて2℃未満、できれば1.5℃」に抑え、そのために「21世紀後半には、温室効果ガス排出量を実質ゼロにする」という長期目標を掲げています。

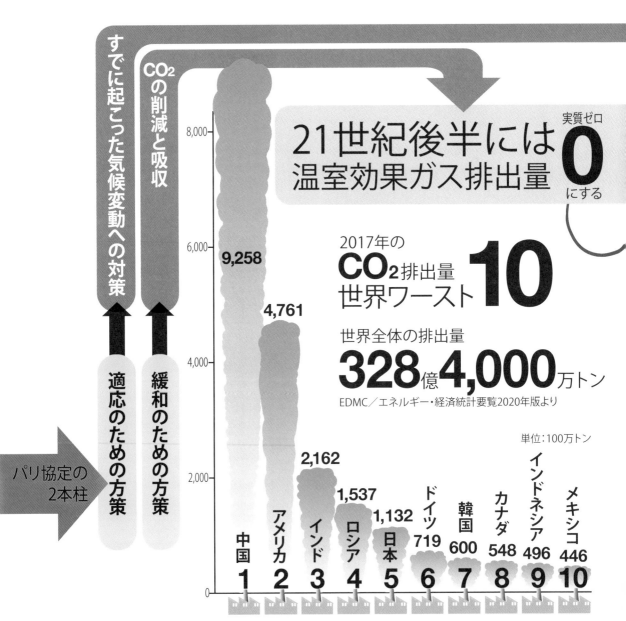

すでに起こった気候変動への対策

$CO_2$の削減と吸収

パリ協定の2本柱

適応のための方策

緩和のための方策

21世紀後半には温室効果ガス排出量 実質ゼロ **0** にする

2017年の $CO_2$ 排出量 世界ワースト **10**

世界全体の排出量 **328億4,000万トン**

EDMC／エネルギー・経済統計要覧2020年版より

単位:100万トン

| 順位 | 国 | 排出量 |
|---|---|---|
| 1 | 中国 | 9,258 |
| 2 | アメリカ | 4,761 |
| 3 | インド | 2,162 |
| 4 | ロシア | 1,537 |
| 5 | 日本 | 1,132 |
| 6 | ドイツ | 719 |
| 7 | 韓国 | 600 |
| 8 | カナダ | 548 |
| 9 | インドネシア | 496 |
| 10 | メキシコ | 446 |

実質ゼロとは、温室効果ガスの排出量を削減するとともに、森林などによる温室効果ガスの吸収量を増やし、差し引きゼロにするという意味です。そのため、温室効果ガスを発生しない代替エネルギーへの転換などの削減策と、人間によって損なわれた森林などを回復させる吸収策とが、並行して進められています。

## 新たな気候に備える適応策

一方、気候変動への「適応」とは、すで
に起こっている気候変動の影響に対処できる態勢を整えることを指します。

具体例としては、豪雨、洪水、森林火災など、気候変動に起因する災害の防止・軽減があげられます。特に、海面上昇によって、すでに水没の危機にあるツバルのような島国では、対策が急務です。また、干ばつが長期化する乾燥地帯の国々では、水資源の確保や農業のための灌漑施設の整備が求められています。こうした問題に取り組むためには、国際的な支援も欠かせません。

補完し合う

水害災害対策　水環境の変化による
渇水対策　灌漑システムの整備
海面上昇被害対策　生態系保全など

# 温室効果ガスは
# どこから発生しているか

## 暮らしから発生する $CO_2$

そもそも温室効果ガスは、どこから排出されているのでしょう？

温室効果ガスの約65％を占める二酸化炭素（$CO_2$）は、化石燃料（石炭、石油、天然ガス）を燃やすことで発生します。主な発生源は、火力発電所、工場、自動車などですが、それらの恩恵にあずかっているのは、私たちです。電気、ガス、灯油を使ったり、車やバス、電車などに乗ったりすれば、$CO_2$が排出されます。私たちの現在の生活は、$CO_2$を排出することによって支えられているのです。

## 温室効果ガスの種類とその割合

**HFCs** フロン類のうちハイドロフルオロカーボンは、エアコンや冷蔵庫の冷媒、スプレーなどに使われる

**$N_2O$** 一酸化二窒素は、燃料の燃焼、工業プロセスなどで発生する。温室効果は$CO_2$の298倍

**$CH_4$** メタンは天然ガスの主成分。稲作、家畜の腸内発酵、廃棄物の埋め立てなどからも発生する

**$CO_2$**

フロン類など
**HFCs**
**2.0%**

一酸化二窒素
**$N_2O$**
**6.2%**

メタン
**$CH_4$**
**15.8%**

二酸化炭素
（森林減少など）
**10.8%**

二酸化炭素
（化石燃料由来）
**$CO_2$**
**65.2%**

## 移動手段別$CO_2$排出量 $CO_2$排出原単位[g - $CO_2$/人km]（2018年度）

自動車 **133**

飛行機 **96**

バス **54**

鉄道 **18**

私たちが移動するたびに
**$CO_2$が排出される**

出典：温室効果ガスインベントリオフィス

## 温室効果の高いメタンとフロン

メタンは、CO₂ほど排出量は多くありませんが、CO₂の約25倍もの温室効果をもっています。メタンの主な発生源は、農業分野です。メタンは湿地で生成されやすいため、日本をはじめとするアジアに多い水田で発生します。一方、大規模な酪農が営まれているアメリカなどで問題になっているのは、牛のゲップです。牛が食べ物を反すうする過程で発生するメタンは、1日160〜320リットルにもなるといいます。

メタンよりさらに強力な温室効果をもつのがフロン類です。自然界には存在しない人工的な物質で、冷蔵庫やクーラーの冷媒、スプレーの噴射剤などに使われています。1980年代に、地球を紫外線から守るオゾン層を破壊する物質として問題になり、現在は、「代替フロン」と呼ばれるハイドロフルオロカーボン（HFC）が主に使われています。HFCは、オゾン層は破壊しませんが、温室効果はCO₂の1430倍もあります。

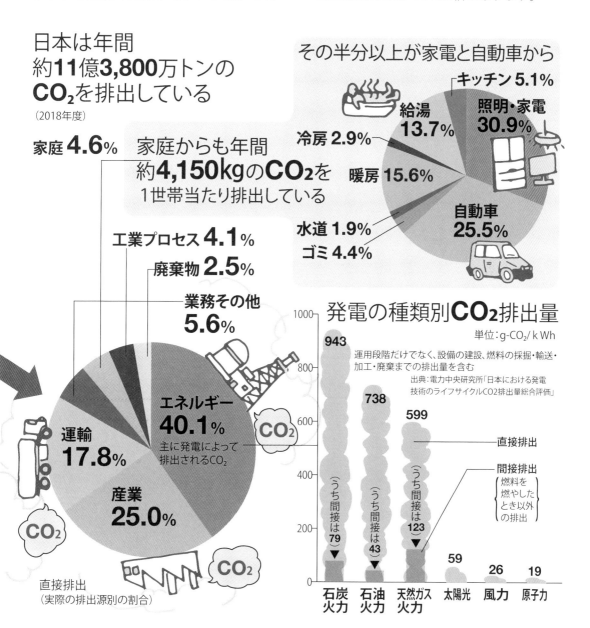

## 日本は年間約11億3,800万トンのCO₂を排出している
（2018年度）

家庭からも年間約4,150kgのCO₂を1世帯当たり排出している

### その半分以上が家電と自動車から

キッチン 5.1%
照明・家電 30.9%
給湯 13.7%
冷房 2.9%
暖房 15.6%
自動車 25.5%
水道 1.9%
ゴミ 4.4%

家庭 4.6%
工業プロセス 4.1%
廃棄物 2.5%
業務その他 5.6%
エネルギー 40.1%
主に発電によって排出されるCO₂
運輸 17.8%
産業 25.0%

直接排出
（実際の排出源別の割合）

### 発電の種類別CO₂排出量
単位：g-CO₂/kWh

運用段階だけでなく、設備の建設、燃料の採掘・輸送・加工・廃棄までの排出量を含む
出典：電力中央研究所「日本における発電技術のライフサイクルCO₂排出量総合評価」

石炭火力 943（うち間接は79）
石油火力 738（うち間接は43）
天然ガス火力 599（うち間接は123）
太陽光 59
風力 26
原子力 19

直接排出
間接排出（燃料を燃やしたとき以外の排出）

# 世界は2050年までに
# 脱炭素社会を目指している

## 再生可能エネルギーへの転換

21世紀後半までに、温室効果ガスの排出量を実質ゼロにするために、世界はすでに動き出しています。下に示したのは、ゼロエミッション（ゼロ排出）を実現させるための具体的な対策です。

$CO_2$を最も多く排出する発電分野では、化石燃料から太陽光、風力、中小水力、地熱、バイオマスなどの再生可能エネルギーへの転換が進められています。特にヨーロッパは、「脱炭素化」に力を入れており、発電に占める再生可能エネルギーの割合は、デンマークは約8割、スウェーデンは

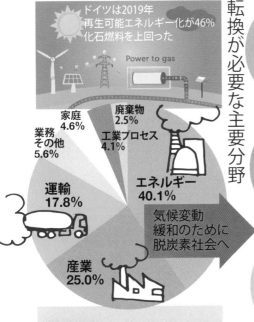

ドイツは2019年
再生可能エネルギー化が46%
化石燃料を上回った

Power to gas

廃棄物 2.5%
家庭 4.6%
工業プロセス 4.1%
業務その他 5.6%
運輸 17.8%
エネルギー 40.1%
産業 25.0%

気候変動
緩和のために
脱炭素社会へ

転換が必要な主要分野

**2019年12月**
EUは2050年
$CO_2$排出ゼロ目標で合意した

**2040年**には
世界の食肉の**60%**は人工肉となると
予測。2023年にはその市場規模は
**1,500億円**に

**2019年**
米の金融大手ゴールドマン・サックスが、
石炭火力発電事業、石炭採掘事業への
融資を削減すると発表した

**2020年1月**
EUは再生可能エネルギー事業育成の
ため、今後10年で120兆円以上の投資
を行うと発表

### 電力エネルギーの転換

石炭・石油から

非化石エネルギーへ

### 産業構造の転換

**$CO_2$排出4大産業の構造転換**

産業全体の**70%**を占めている

鉄鋼業　セメント　化学　パルプ

### 輸送手段とシステムの転換

ガソリンエンジンから
電動モーターへの転換

### 農林水産業と食料生産の転換

メタンの排出削減とミートレス社会

最大のカーボンフット
プリント食は牛肉

欧米での脱ミート化
人工肉の開発競争

### 国際金融の産業投資の転換

世界の金融資本が
脱炭素化へ
向かっている

国際
金融
資本

約6割、ドイツも5割近くに達しています。

また、CO₂排出量の多い鉄鋼、セメント、化学、紙パルプの4大産業、ならびに自動車、飛行機、船舶などの輸送関連業も、脱炭素化を目指して、さまざまな取り組みを始めています。

## 金融界も脱炭素に投資

農業分野では、強力な温室効果ガスのひとつ、メタンを大量に発生させる牛肉生産を見直す動きも見られます。メタンの発生を抑える飼料の開発、メタンを発生しにくい牛の品種改良、さらには牛の細胞を培養した人工肉の開発も始まっています。

また、産業を支える金融界も、脱炭素を後押しする姿勢を明確に示し始めています。再生可能エネルギー関連事業を積極的に支援し、化石燃料のなかで最もCO₂排出量が多い石炭火力には融資をしない、というのが、すでに世界金融の常識です。そのため温暖化対策を講じていない企業は、生き残りのために転換を迫られています。

太陽光発電　風力発電　地熱発電　潮力発電　中小水力発電　原子力は?

世界は再生可能エネルギーへと大きく舵を切った。日本はどうなのか?

**2050年までには温室効果ガス排出ゼロに**

製造工程での**CO₂の削減**技術革新　→　熱エネルギーの非化石燃料化　→　カーボンリサイクルの高度化　エネルギーネットワークの高度化　水素エネルギーの可能性

長距離移動は公共交通の電車で

自動車は所有からシェアへ

「飛び恥」との批判も
短距離移動には飛行機は利用しない

究極のエコカーは、水素カー?
H₂O

農山漁村での再生可能エネルギーの活用と温室効果ガス削減　土地と植物への炭素隔離・貯留技術の高度化　ゼロエミッション農林水産業へ

化石燃料関連事業　消費者意識の変化　→　倫理的消費行動の一般化　グリーンファイナンスの推進

投資　再生可能エネルギー産業

Part4

79

# 世界に逆行する日本のエネルギー 打開策は「水」にある？

## 石炭火力に依存する日本

世界が脱炭素化を目指すなか、日本のエネルギー政策は世界に逆行している、と批判を浴びています。下のグラフは、日本の発電に使われるエネルギーの内訳です。2017年の実績では、化石燃料が全体の約8割を占め、そのほとんどを輸入に頼っています。しかも、$CO_2$排出量が最も多い石炭による火力発電が、3割以上にのぼり、今後さらに石炭火力発電所が増設される予定もあります。石炭離れが進む現在、いまだに石炭火力を推進しているのは先進国で日本だけ、と非難されるのも当然でしょう。

### 世界の趨勢に逆行する、日本のエネルギー政策

電力需要　（億kWh）

10,650億kWh

| 2017年 | 2030年（見通し） |
|---|---|
| 再エネ　16.1% | 再エネ　22~24% |
| 天然ガス 39.8% | 天然ガス　27.0% |
| | 石油　3.0% |
| 石油　8.7% | 石炭　26.0% |
| 石炭　32.3% | 原子力 20~22% |
| 原子力　3.1% | |

| 水力 | 8.8~9.2%程度 |
|---|---|
| 太陽光 | 7.0%程度 |
| 風力 | 1.7%程度 |
| バイオマス | 3.7~4.6%程度 |
| 地熱 | 1.0~1.1%程度 |

小泉進次郎環境大臣は、COP25の演説に対して、世界のNPOが選ぶ、温暖化対策に消極的な政府として「化石賞」を贈られた

石炭火力を26%に減らす

まだ石炭を燃やすのか？

大丈夫か日本

日本にはもうひとつの

COP25

化石賞

日本は51位

## 未来エネルギーの本命は？

日本は2030年までに、発電における化石燃料の割合を56％まで減らすという目標を掲げ、再生可能エネルギーの利用率を高めようとしています。

なかでも期待を集めているのが、水素エネルギーです。水素は水を電気分解することで得られるほか、下水汚泥や家畜の排せつ物などのバイオマス、褐炭と呼ばれる低品質の石炭などからも得られます。水素を得る過程で必要な電力に再生可能エネルギーを用いれば、$CO_2$ゼロの実現も可能です。

また、日本発の技術として注目されるのが、植物の光合成を人工的に再現した人工光合成です。太陽光を使って、水と$CO_2$から水素や有機化合物をつくり出すことにより、新たなクリーンエネルギーを生み出せるため、早期の実用化が待たれています。

このほか、従来の水力発電のような巨大ダムを用いず、低コストで発電できる中小水力が、すでに農山村で活躍しています。日本の次世代エネルギーのキーワードは、「水」といえるかもしれません。

## 水素エネルギー社会をつくる

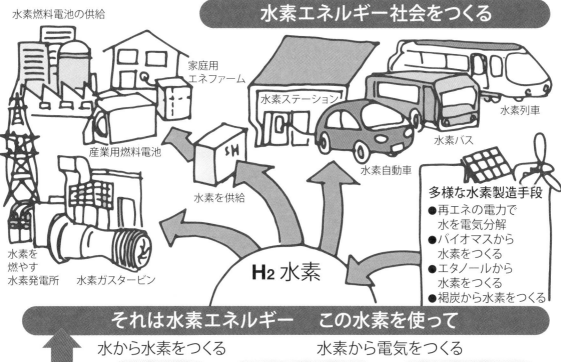

水素燃料電池の供給

家庭用エネファーム

水素ステーション

水素列車

水素バス

水素自動車

産業用燃料電池

水素を供給

水素を燃やす
水素発電所　水素ガスタービン

**H₂ 水素**

多様な水素製造手段
- 再エネの電力で水を電気分解
- バイオマスから水素をつくる
- エタノールから水素をつくる
- 褐炭から水素をつくる

エネルギー政策がある

## それは水素エネルギー　この水素を使って

### 水から水素をつくる

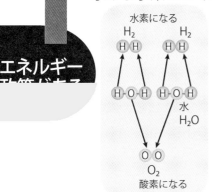

水素になる
$H_2$　$H_2$

H-O-H　H-O-H
水
$H_2O$

$O_2$
酸素になる

### 水素から電気をつくる

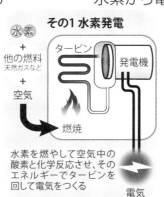

**その1 水素発電**

水素
＋
他の燃料
天然ガスなど
＋
空気

タービン　発電機

燃焼

水素を燃やして空気中の酸素と化学反応させ、そのエネルギーでタービンを回して電気をつくる

電気

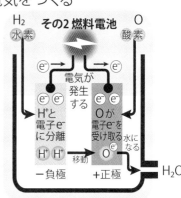

**その2 燃料電池**

$H_2$
水素

O
酸素

$e^-$　$e^-$

電気が発生する

$e^-$　$e^-$

$e^-$　$e^-$

$H^+$と電子$e^-$に分離

Oが電子$e^-$を受け取る

$H^+$　$H^+$

$O^{e^-}$

水になる

移動

－負極　　＋正極

$H_2O$

### 水の人工光合成で水素を作る

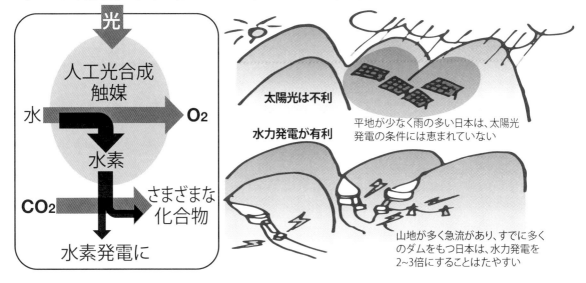

光

人工光合成触媒

水　　　→　　$O_2$

水素

$CO_2$　→　さまざまな化合物

水素発電に

### 日本の山がもつ水力発電のポテンシャルを生かす

**太陽光は不利**

平地が少なく雨の多い日本は、太陽光発電の条件には恵まれていない

**水力発電が有利**

山地が多く急流があり、すでに多くのダムをもつ日本は、水力発電を2~3倍にすることはたやすい

# $CO_2$ ゼロのエコカーが
# 私たちの暮らしを変える

## 動力はガソリンから電気へ

　日本の$CO_2$排出量のうち、２割近くを占めるのが自動車です。ガソリンや軽油などの石油を燃料とするガソリン車は、エンジンでガソリンを燃やして走るため、$CO_2$を排出します。そのため、$CO_2$排出量が少な

いエコカーの利用が推奨されています。

　現在のエコカーは、エンジンに比べてエネルギー効率の高い電気モーターを搭載しています。エンジンとモーターを併用するハイブリッド車なら、$CO_2$排出量はガソリン車の約65％。ハイブリッド車に、外部充電機能をつけたプラグインハイブリッド

**$CO_2$ 排出量比較**

**ガソリンエンジン車**　これを**100**とすると　　　　　**ハイブリッド車 65**

## アメリカが生んだ車中心のライフスタイル

## たどり着くのは、大量生産大量消費のスーパーマーケット

## このアメリカ人がつくった移動と消費スタイルをそろそろ終わりにしなければ

## 車の移動が前提の社会インフラ

どこへ
行こうが
自由だ

シニア介護
アパート

地域遠隔
診療所

車なら、電気で走っている間は $CO_2$ ゼロ。さらに、電気自動車なら、バッテリーに蓄えた電気だけで走るため、走行中はいっさい $CO_2$ を排出しません。

ただし、使用する電気が、化石燃料でつくられたものだと発電所で $CO_2$ が排出されることになるので、電力として再生可能エネルギーを使うことが望まれます。

## 水素で走る最新エコカー

究極のエコカーとして期待されているのは、水素を使った燃料電池自動車です。水素と酸素の化学反応によって電気を発生させてモーターを稼働させるため、出るのは水だけで $CO_2$ ゼロ。車両に水素を供給する水素ステーションの整備が進めば、水素社会の実現も可能となるでしょう。

いずれのエコカーも、製造や廃棄の段階で電力を使うため、$CO_2$ をまったく出さないわけではありませんが、メーカーによっては、工場に再生可能エネルギーを導入するなどして、$CO_2$ 削減を図っています。

ガソリンエンジン
モーター　バッテリー　ガソリン
**プラグインハイブリッド車 37**(充電時)

モーター　バッテリー
**電気自動車 1〜37**

上の $CO_2$ 排出量比較は、走行時に出る $CO_2$ だけでなく、燃料を精製・運搬するときに排出される $CO_2$ も含めたもの

モーター　空気　水素
燃料電池

そして究極のエコカー　水素燃料電池車
**CO2 0ゼロに近い?**

水素製造に化石燃料を使うと $CO_2$ を排出。再エネ利用なら0

# 水素カーで暮らしが変わる!?

RAILWAY

水素バス　水素ステーション

人工光合成水素プラント

コミュニティサテライトオフィス

地域水素発電所

コミュニティ内は自転車で

バイオ水素工場

コミュニティ水素カー（自動運転）

# 削減できないCO₂を
# 回収して貯留するCCS

## CO₂を地中に閉じこめる

出してしまったCO₂を回収して、プラスマイナスゼロにしよう、という考え方から生まれたのが、「二酸化炭素回収・貯留（CCS）」と呼ばれる技術です。

これは、火力発電所や製鉄所などから排出されるCO₂濃度の高い排ガスから、CO₂を分離して集め、地中や海底に閉じこめてしまうというもの。また、回収したCO₂を資源として再利用する「二酸化炭素回収・利用・貯留（CCUS）」技術にも、注目が集まっています。すでに世界各地で実用化されており、日本でも実証実験が進められて

日本の微妙な立ち位置

問題は、この技術は
まだ実証実験の段階で、
2030年の商用化までに、
問題が山積していること

みなさん、とりあえずこれで、いっ時しのぎましょう

もちろん、やりますよ

温暖化防止にはCO₂ゼロしかない

炭素を回収して貯留する

CCS

そんな、急には無理だよ

まだ俺たち、石炭が必要だ

私たちも、豊かになる権利がある

ヨーロッパなどの先進諸国は、いち早くCO₂ゼロ社会への道を進んでいる

中国、インド、アメリカの巨大排出国は

地球温暖化なんか知ったことか

発展途上国の人々の本音は温暖化は先進国の責任だ!!

いきます。ただし、$CO_2$の回収、輸送、貯留には、膨大なエネルギーとコストを必要としますし、将来、$CO_2$が漏れ出す可能性がないとも限らず、課題は山積しています。

## 産業保護のための一時策

CCSが推進されているのは、パリ協定の「1.5℃目標」に向けて、少しでも大気中の$CO_2$を減らす必要があるため。同時に、いまある産業を保護するためでもあります。

電力を石炭火力に頼っている日本は、石炭火力を続けるためにも、CCSの導入に積極的です。また、途上国では、価格の安い石炭による発電が主流であり、先進国のように再生可能エネルギーに切り替える経済的な余裕がありません。

そもそもCCSは、出してしまった$CO_2$をなかったことにするだけで、本当に$CO_2$排出を削減したことにはなりません。CCSさえ導入すれば、$CO_2$を出してもいいわけではなく、あくまで脱炭素化を実現するまでのつなぎの技術ととらえるべきでしょう。

## 二酸化炭素を回収するしくみ

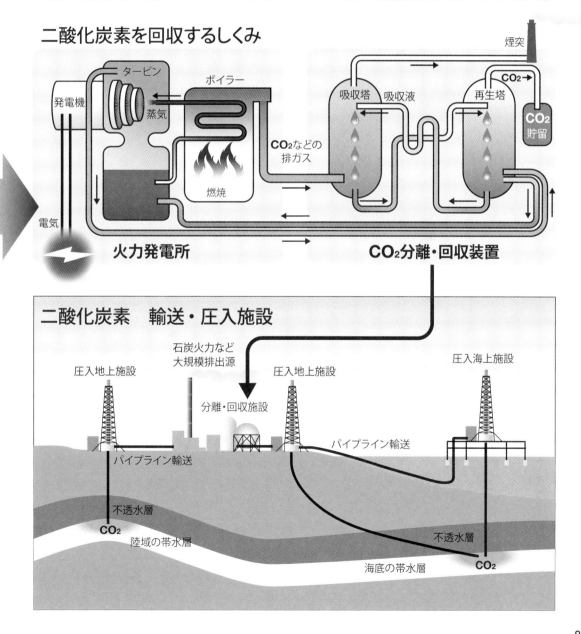

タービン
ボイラー
発電機
蒸気
$CO_2$
吸収塔　吸収液
再生塔
$CO_2$
貯留
$CO_2$などの
排ガス
燃焼
煙突
電気
火力発電所
$CO_2$分離・回収装置

二酸化炭素　輸送・圧入施設

石炭火力など
大規模排出源
圧入海上施設
圧入地上施設
圧入地上施設
分離・回収施設
パイプライン輸送
パイプライン輸送
不透水層
$CO_2$
陸域の帯水層
不透水層
海底の帯水層
$CO_2$

**Part 4**
いま人類に
できること
**⑨**

# 炭素の貯蔵庫、森と海を守り CO₂吸収量を増やす

## ◯ CO₂を吸収する森を回復

温暖化対策には、CO₂の排出を抑える方法と、大気中のCO₂を吸収する方法があります。前項のCCSは、人工的にCO₂を回収する技術ですが、CO₂の回収を最も効率よく行っているのは、自然界です。p22〜23

で見たように、植物は、大気中のCO₂を吸収して炭素を貯え、それを食べた動物は、呼吸によってCO₂を吐き出します。この炭素循環によって、排出されるCO₂と吸収されるCO₂とのバランスが保たれています。

しかし、人間が森林を農地に転用したり、薪や木材を取ったりしているため、CO₂を

### 日本の森林と海が吸収するCO₂の量 2030年の最大値で予測する

単位万t/年間

| 793 農地土壌 | 2,780 森林 | 910 海など |
|---|---|---|

124 都市緑地

数値はブルーカーボン研究会資料より

地球が自ら
回収するCO₂は
森林と海に吸収され
グリーンカーボンと
総称される

海が吸収する
ブルーカーボンに対し、
森が吸収する炭素を
グリーンカーボンと呼んで
区別することもある

**グリーンカーボン**

樹木の吸収量を
杉の木で見てみ
ると

杉の木
**23**本で
吸収する

人間1人が
呼吸によって出す
CO₂は
年間約320kg

**森林が吸収**

**CO₂吸収のしくみは**
P22-23

**ブルーカーボン**

海辺の生態系がCO₂を
吸収・貯留している

## 海の生態系が吸収

吸収する森林が減少しています。2010年から2015年には、世界中で年平均330万ヘクタールもの森林が失われました。そのため、植林によって森林を回復し、$CO_2$の吸収を高めようとする活動が進められています。

## 海が蓄えるブルーカーボン

　自然界で生物を通じて吸収・貯留される炭素を「グリーンカーボン」といいます。このうち、海の生物を通じて吸収・貯留される炭素を、国連環境計画（UNEP）は「ブルーカーボン」と名づけ、2009年に報告書を発表。以来、$CO_2$の吸収源として、ブルーカーボンに注目が集まっています。

　特に$CO_2$の吸収量が多いのは、海藻や海草の群落、マングローブ林、干潟です。海に囲まれた日本は、ブルーカーボンを活用するには格好の環境にあります。専門家の研究によれば、海草や海藻が育つ場所を造成し、適切に管理していけば、2030年には、最大で年910万トンの$CO_2$を吸収できると試算されており、期待が高まっています。

### 森林の$CO_2$吸収力は大きい　それなのに、世界の森林面積は減少している

杉の木
**160**本で
吸収する

杉の木
**300**本で
吸収する

1世帯当たりが
出す$CO_2$は
年間約4,150kg

↑
自家用車1台が
出す$CO_2$は
年間約2,300kg

■ 50万ヘクタール以上減少
■ 25万以上〜50万未満
□ 5万以上〜25万未満

赤い部分は森林面積が
5万ヘクタール以上減少した国

| 単位1,000ヘクタール/年 | |
| --- | --- |
| アフリカ | −2,836 |
| アジア | +791 |
| ヨーロッパ | +382 |
| オセアニア | +304 |
| 北・中央アメリカ | +75 |
| 南アメリカ | −2,025 |

世界では年間
330万ヘクタールの
森林が消えている

2010〜
2015年の
平均変化値

Part 4

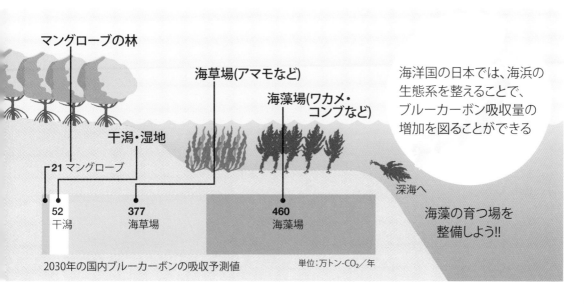

マングローブの林

海草場(アマモなど)

海藻場(ワカメ・
コンブなど)

干潟・湿地

海洋国の日本では、海浜の
生態系を整えることで、
ブルーカーボン吸収量の
増加を図ることができる

┌21 マングローブ

深海へ

52
干潟

377
海草場

460
海藻場

海藻の育つ場を
整備しよう!!

2030年の国内ブルーカーボンの吸収予測値　　　単位:万トン-$CO_2$／年

# 企業の$CO_2$削減努力を促す
# カーボンフットプリント

## 温室効果ガスを数値化

温室効果ガスは、目に見えないものなので、なかなか実感できません。そこでこれを目に見える形で示したのが、「カーボンフットプリント（炭素の足跡）」です。

どんな製品も、原材料の調達から生産・

流通・使用・廃棄という工程をたどり、ほとんどの工程で温室効果ガスが排出されています。カーボンフットプリントとは、製品のライフサイクル全体を通して排出されるさまざまな温室効果ガスの量を、$CO_2$の排出量に換算して数字で示したものです。

意外にも、世界の温室効果ガス排出量の

## カーボンフットプリントの内訳

その商品のライフサイクル全体で排出された、温暖効果ガス排出量を
合計して、$CO_2$排出量に換算したもの

### 例えば、ペットボトル入りお茶の場合（例）

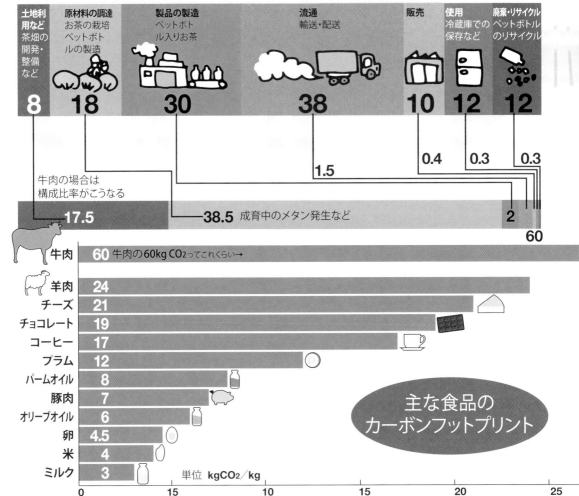

| 土地利用など | 原材料の調達 | 製品の製造 | 流通 | 販売 | 使用 | 廃棄・リサイクル |
|---|---|---|---|---|---|---|
| 茶畑の開発・整備など | お茶の栽培 ペットボトルの製造 | ペットボトル入りお茶 | 輸送・配送 | | 冷蔵庫での保存など | ペットボトルのリサイクル |
| 8 | 18 | 30 | 38 | 10 | 12 | 12 |

1.5　0.4　0.3　0.3

牛肉の場合は
構成比がこうなる

| 17.5 | 38.5 成育中のメタン発生など | 2 |
|---|---|---|

60

**主な食品の
カーボンフットプリント**

|  |  |
|---|---|
| 牛肉 | 60 牛肉の60kg $CO_2$ってこれくらい→ |
| 羊肉 | 24 |
| チーズ | 21 |
| チョコレート | 19 |
| コーヒー | 17 |
| プラム | 12 |
| パームオイル | 8 |
| 豚肉 | 7 |
| オリーブオイル | 6 |
| 卵 | 4.5 |
| 米 | 4 |
| ミルク | 3 |

単位　kgCO2／kg

0　　　15　　　10　　　15　　　20　　　25

4分の1を占めるのは、食品です。特に牛肉や乳製品は、家畜の飼育に費やされるエネルギーや反すうによるメタン放出量が多いため、食品のなかでも群を抜いてカーボンフットプリントが高くなっています。

## CO₂削減努力は企業の評価基準に

このように、製品のカーボンフットプリントがわかると、企業はCO₂削減（さくげん）に取り組みやすくなります。現在、ヨーロッパを中心に、製品のカーボンフットプリントを公表する動きが進んでおり、多くの企業が、よりCO₂排出量の少ない製品の開発に努めています。日本でも、工場で使う電力を再生可能エネルギーに切り替える、輸送にはトラックではなく鉄道や船を使う、などの取り組みが、すでに行われています。また、どうしても削減できないCO₂を、植林活動などによって相殺（そうさい）する「カーボンオフセット」に取り組む企業も増えています。

温暖化（おんだんか）対策に取り組むことは、いまや企業の社会的義務になりつつあるのです。

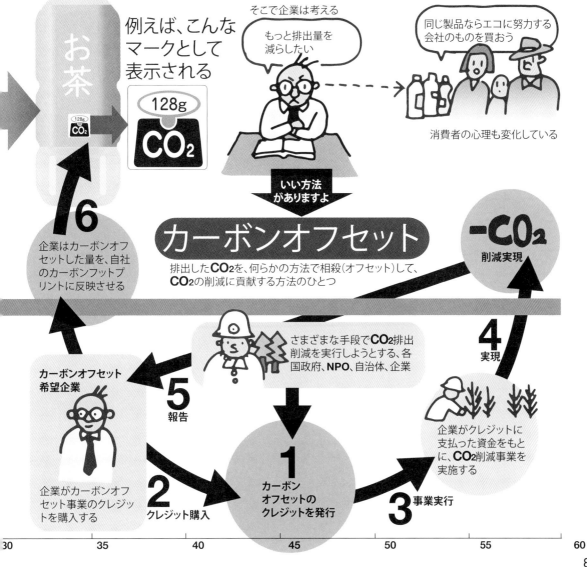

## カーボンフットプリントが製品に表示される

例えば、こんなマークとして表示される

128g CO₂

そこで企業は考える
もっと排出量を減らしたい

同じ製品ならエコに努力する会社のものを買おう

消費者の心理も変化している

いい方法がありますよ

### カーボンオフセット

排出した**CO₂**を、何らかの方法で相殺（オフセット）して、**CO₂**の削減に貢献する方法のひとつ

**-CO₂** 削減実現

**6** 企業はカーボンオフセットした量を、自社のカーボンフットプリントに反映させる

さまざまな手段でCO₂排出削減を実行しようとする、各国政府、**NPO**、自治体、企業

**4** 実現

**5** 報告

カーボンオフセット希望企業

企業がカーボンオフセット事業のクレジットを購入する

**2** クレジット購入

**1** カーボンオフセットのクレジットを発行

**3** 事業実行

企業がクレジットに支払った資金をもとに、**CO₂**削減事業を実施する

# CO₂を減らすために
# 私たちにできること

## 家庭での対策は節電から

国内のCO₂排出量の14.6%は、家庭から排出されています。意外と多いことに驚かされますが、この数字は、私たち1人ひとりの心がけで下げることができるのです。

1人当たりのCO₂排出量は、年間約1920kg。そのうち半分近くを占めるのが、電気の使用によるものです。

まず自分の家で、毎月どれだけ電気を使っているか確認してみましょう。節電は、CO₂削減の第一歩です。こまめに電気を消す、冷暖房の設定温度を調整する、省エネタイプの家電製品を使うなど、できること

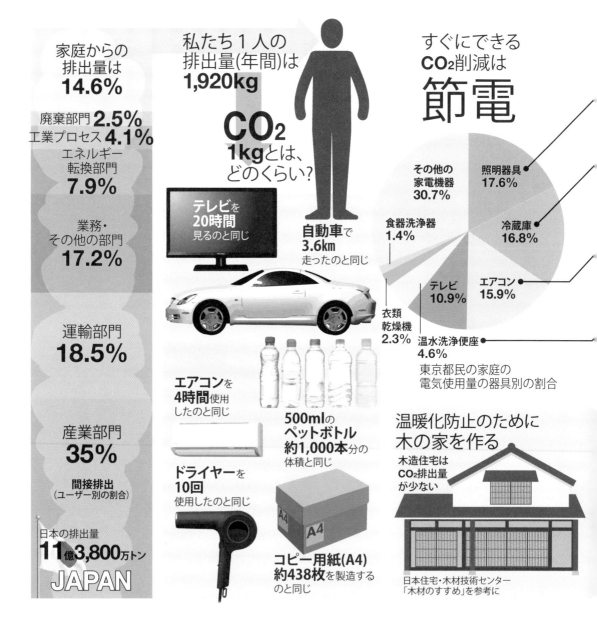

家庭からの
排出量は
**14.6%**

廃棄部門 **2.5%**
工業プロセス **4.1%**
エネルギー
転換部門
**7.9%**

業務・
その他の部門
**17.2%**

運輸部門
**18.5%**

産業部門
**35%**

間接排出
(ユーザー別の割合)

日本の排出量
**11億3,800万トン**
**JAPAN**

私たち1人の
排出量(年間)は
**1,920kg**

**CO₂**
**1kg**とは、
どのくらい?

テレビを
**20時間**
見るのと同じ

自動車で
**3.6km**
走ったのと同じ

エアコンを
**4時間**使用
したのと同じ

**500ml**の
ペットボトル
約**1,000本**分の
体積と同じ

ドライヤーを
**10回**
使用したのと同じ

コピー用紙(A4)
約**438枚**を製造する
のと同じ

すぐにできる
CO₂削減は
# 節電

その他の
家電機器
**30.7%**

食器洗浄器
**1.4%**

照明器具
**17.6%**

冷蔵庫
**16.8%**

エアコン
**15.9%**

テレビ
**10.9%**

衣類
乾燥機
**2.3%**

温水洗浄便座
**4.6%**

東京都民の家庭の
電気使用量の器具別の割合

## 温暖化防止のために
## 木の家を作る

木造住宅は
CO₂排出量
が少ない

日本住宅・木材技術センター
「木材のすすめ」を参考に

から始めてみましょう。電力自由化によって、再生可能エネルギーによる電力を供給する電力会社も増えてきたので、検討してみるのもよいでしょう。また、上下水道の設備、ゴミの焼却やリサイクルにも電力が使われているので、水の使用量やゴミを減らすことも$CO_2$削減につながります。

## $CO_2$を考えて製品を選ぶ

電気、ガス、灯油、ガソリンなどの使用量を減らすだけでなく、カーボンフットプリントという目に見えない$CO_2$を意識して商品やサービスを選ぶことも大切です。

例えば、同じ野菜でも、電力を使うハウス栽培より露地栽培の旬のもの、遠くから燃料を使って運ばれてくるものより地元産のほうが、$CO_2$排出量は少なくなります。また、$CO_2$削減努力をしている企業の製品やサービスを積極的に利用すれば、企業はさらに温暖化対策に努めるでしょう。いま私たちは、未来の気候のために、便利な暮らしを見直すべき時にきているのです。

---

| 照明器具 | |
| --- | --- |
| 白熱電球をLEDライトに替える | **45kg** |
| 蛍光灯の使用を1時間減らす | **2.2kg** |

| 冷蔵庫・電気ポット | |
| --- | --- |
| 季節に合わせて温度設定する | **30.2kg** |
| 壁から適切な間隔で設置する | **22.1kg** |
| 電気ポットを長時間保温しない | **52.6kg** |

| エアコン・暖房 | |
| --- | --- |
| 冷房の室温を28℃に設定 | **14.8kg** |
| フィルターをこまめに掃除 | **15.6kg** |
| 暖房の室温を20℃に設定 | **26kg** |

| バス・トイレ | |
| --- | --- |
| こまめにシャワーを止める | **27.8kg** |
| お風呂のふたを閉める | **38.2kg** |

数値は年間
出典「家庭の省エネハンドブック 2018」
東京都地球温暖化防止活動推進センターより

## 住宅1棟当たりの材料製造時の$CO_2$放出量

木造住宅 **5.1トン**　鉄骨プレハブ **17.7トン**　鉄筋コンクリート住宅 **21.8トン**

---

## もうひとつ、私たちがいまからしなければならないことは？

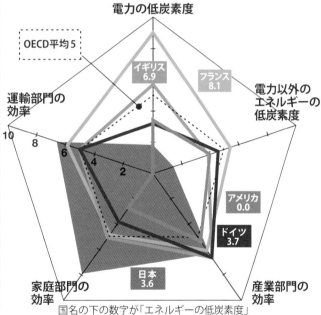

国名の下の数字が「エネルギーの低炭素度」
10が最も効率がいい。5が平均

2016年の$CO_2$排出の要因分解の主要国比較
資源エネルギー庁HPより

日本の問題は、発電事業などのエネルギー供給企業の低炭素化が、他の国々に比べて圧倒的に低水準であること。家庭・産業・運輸部門は世界最高水準を達成しても、この部門の遅れが、日本の評価を落としている

## 私たちが、いまできること
電力などのエネルギー供給企業に対して、事業の低炭素化の推進を求める声をあげること

# おわりに
# コロナ後に私たちが戻る世界に新しい経済学の芽生えはあるか

　2020年5月、新型コロナウイルスが猛威を奮い、世界各地の都市が封鎖されていた頃、ちょっと明るいニュースが流れました。大気汚染のひどかった空がきれいになった！　そんな声が中国から聞こえ、インドでも、20年間見えなかったヒマラヤの姿がニューデリーの青空に浮かび上がりました。世界の$CO_2$排出量が、昨年に比べて17％も減少した、というニュースも駆け巡りました。

　人間が少し産業活動をストップするだけで、大気はこんなに改善される。感染症の脅威に怯えていた世界の人々の心が和んだ瞬間でした。しかしこの青空の真の意味に、人々はすぐに気づきました。世界で約1000万人以上が感染し、50万人以上もの人が亡くなるという（2020年6月30日現在）、命の危機に直面して、やっと人々は産業活動を停止した、その結果がこの青空なのだと。

　新型コロナウイルスの世界的流行は、私たちの暮らしを激変させました。もうコロナ以前の暮らしは戻ってこない、そんな声が世界中で上がります。これを機会に、コロナ後の新しい社会秩序をつくろう、そんな声も聞こえます。

　しかし、この声は重大なことを見落としています。私たちは、温室効果ガスによって温暖化し続ける世界へ戻っていかなくてはいけない。そこは、一時的な産業活動停止ではなく、恒常的な産業活動の減速が求められる世界なのです。

　コロナ流行直前の1月、第50回ダボス会議でスピーチをしたグレタさんを、アメリカのムニューシン財務長官が「大学で経済学を勉強したら」と皮肉りました。しかし気候変動は、彼らが信奉する、その「経済学」が引き起こしたものです。それならば、グレタさんには、そんな間違った経済学を学ぶ必要などありません。経済学の学び直しが必要なのは、ムニューシン氏であり、地球の危機より自分の利益を優先する大人たちであることは、誰の目にも明らかです。

## 参 考 文 献

『「地球システム」を科学する』（伊勢武史著、ベレ出版刊）

『シミュレート・ジ・アース　未来を予測する地球科学』（河宮未知生著、ベレ出版刊）

『Newton 別冊 この真実を知るために 地球温暖化』（西岡秀三監修、ニュートンプレス刊）

『絵でわかる地球温暖化』（渡部雅浩著、講談社刊）

『Newton 別冊 みるみる理解できる 天気と気象』（ニュートンプレス刊）

『地球を「売り物」にする人たち』（マッケンジー・ファンク著、ダイヤモンド社刊）

『世界史を変えた異常気象 エルニーニョから歴史を読み解く』（田家康著、日本経済新聞出版社刊）

『地球に住めなくなる日「気候崩壊」の避けられない真実』（ディビッド・ウォレス・ウェルズ著、NHK出版刊）

『日本の国家戦略「水素エネルギー」で飛躍するビジネス』（西脇文男著、東洋経済新報社刊）

『2050年の技術　英「エコノミスト」誌は予測する』（英『エコノミスト』編集部著、文藝春秋社刊）

『水の世界地図』（マギー・ブラック、ジャネット・キング著、沖大幹監訳、丸善刊）

『気候カジノ 経済学から見た地球温暖化問題の最適解』（ウィリアム・ノードハウス著、日経BP社刊）

『水の未来』（フレッド・ピアス著、日経BP社刊）

『温暖化の世界地図』（カースチン・ダウ、トーマス・ダウニング著、丸善刊）

『地球温暖化図鑑』（布村明彦、松尾一郎、垣内ユカ里著、文溪堂刊）

## 参 考 サ イ ト

IPCC ● https://archive.ipcc.ch/

国際連合広報センター ● https://www.unic.or.jp/

環境省 ● http://www.env.go.jp/

気象庁 ● https://www.jma.go.jp/

経済産業省・資源エネルギー庁
● https://www.enecho.meti.go.jp/

国立環境研究所　地球環境研究センター
● http://cger.nies.go.jp/ja/

国立研究開発法人 海洋研究開発機構
● http://www.jamstec.go.jp/j/

全国地球温暖化防止活動推進センター
● https://www.jccca.org/

国連 UNHCR 協会 ● https://www.japanforunhcr.org

日本ユニセフ協会 ● https://www.unicef.or.jp/

東洋経済 ONLINE ● https://toyokeizai.net

AFP BB NEWS ● https://www.afpbb.com

日本海洋事業株式会社 ● https://www.nmeweb.jp

理化学研究所 計算科学研究センター
● https://www.r-ccs.riken.jp

一般財団法人リモート・センシング技術センター
● https://www.restec.or.jp

JAXA 地球観測研究センター●
https://www.eorc.jaxa.jp/earthview

公益財団法人 日本極地研究振興会 ● http://kyokuchi.or.jp

日本財団 図書館 ● https://nippon.zaidan.info

国際環境経済研究所 ● http://ieei.or.jp

農研機構 ● http://www.naro.affrc.go.jp/index.html

ブルーカーボン研究会（一般財団法人みなと総合研究財団）
● http://www.wave.or.jp/bluecarbon/index.html

東京都地球温暖化防止活動推進センター（クール・ネット東京）
● https://www.tokyo-co2down.jp/

ナショナル ジオグラフィック ● https://natgeo.nikkeibp.co.jp

WWF ジャパン ● https://www.wwf.or.jp

国連環境計画（UNEP）● https://ourplanet.jp

BBC NEWS JAPAN ● https://www.bbc.com/japanese

REUTERS ● https://jp.reuters.com

Record China ● https://www.recordchina.co.jp

WORLD RESOURCES INSTITUTE
● https://www.wri.org/our-work/topics

Esri ● https://www.esri.com/

Inside climate news ● https://insideclimatenews.org/news

ganas ● https://www.ganas.or.jp

WIRED ● https://wired.jp/nature/

EL BORDE ● https://www.nomura.co.jp/el_borde

FoE Japan ● https://www.foejapan.org/climate

swissinfo.ch ● https://www.swissinfo.ch

Global News View ● https://globalnewsview.org

WORLD ECONOMIC FORUM ● https://jp.weforum.org

Smart Japan ● https://www.itmedia.co.jp/smartjapan

Tech Factory ● https://wp.techfactory.itmedia.co.jp

THE WORLD BANK ● https://www.worldbank.org

Our World in Date ● https://ourworldindata.org/

Flood Maps ● http://flood.firetree.net/

# 索 引

著 インフォビジュアル研究所

2007年より代表の大嶋賢洋を中心に、編集、デザイン、CGスタッフ
により活動を開始。多数のビジュアル・コンテンツを編集・制作・
出版。主な作品に、『イラスト図解 イスラム世界』（日東書院本社）、
『超図解 一番わかりやすいキリスト教入門』（東洋経済新報社）、「図
解でわかる」シリーズ『ホモ・サピエンスの秘密』『14歳からのお
金の説明書』『14歳から知っておきたいAI』『14歳からの天皇と
皇室入門』『14歳から知る人類の脳科学、その現在と未来』『14歳
からの地政学』『14歳からのプラスチックと環境問題』『14歳から
の水と環境問題』（いずれも太田出版）などがある。

大嶋賢洋の図解チャンネル
YouTube
  https://www.youtube.com/channel/UCHlqlNCSUiwz985o6KbAyqw
Twitter
  @oshimazukai

| | |
|---|---|
| 企画・構成・執筆 | 大嶋 賢洋 |
| | 豊田 菜穂子 |
| イラスト・図版制作 | 高田 寛務 |
| イラスト | 二都呂 太郎 |
| カバーデザイン・DTP | 玉地 玲子 |
| 校正 | 鷗来堂 |

図解でわかる
14歳から知る 気候変動

2020 年 8 月 1 日 初版第 1 刷発行
2024 年 6 月 6 日 初版第 4 刷発行

著者　インフォビジュアル研究所

発行人　森山裕之
発行所　株式会社太田出版
〒160-8571 東京都新宿区愛住町 22 第三山田ビル 4 階
Tel.03-3359-6262　Fax.03-3359-0040
http://www.ohtabooks.com
印刷・製本　中央精版印刷株式会社

ISBN978-4-7783-1710-2　C0030